LA TROISIÈME RÉPUBLIQUE

1914-1940

JACQUES NÉRÉ

Professeur à l'Université de Brest

CINQUIÈME ÉDITION, 1972.

LIBRAIRIE ARMAND COLIN

*103, Boulevard Saint-Michel, Paris-V*e

Avertissement

Il est toujours risqué de tenter une synthèse rapide d'une période relativement proche, que beaucoup d'entre nous ont au moins partiellement vécue. Cependant, de tels événements sont survenus depuis 1940 qu'il a paru possible d'envisager ce passé récent avec le recul intellectuel nécessaire à l'historien. Reste que, sur beaucoup de questions, les études de base n'existent pas encore. Cet essai doit donc être considéré comme un point de départ bien plus que comme un aboutissement.

Résumer en aussi peu de pages une période qui nous paraît si chargée de faits présente aussi bien des difficultés. Pour tâcher de les résoudre, il nous a fallu d'abord délimiter très étroitement notre sujet. Partant de la guerre de 1914, nous avons délibérément éliminé toute référence au problème de ses origines. De même nous nous sommes arrêté rigoureusement au 10 juillet 1940 tel qu'il a pu apparaître aux contemporains; on ne s'étonnera donc pas de ne pas trouver ici de mention de l'Appel du 18 juin : par la logique, sinon par la chronologie, il se rattache à la période suivante. D'autre part, nous nous sommes strictement borné à l'aspect français des événements, dont beaucoup, et souvent les principaux, sont internationaux ; nous n'avons fait allusion à ce qui se passait ailleurs que dans la mesure où l'intelligence du texte l'exigeait. Même en traitant des affaires purement françaises, force nous a été de sacrifier à mainte reprise l'important à l'essentiel. Car nous avons cherché avant tout à comprendre et à expliquer les éléments fondamentaux de cet épisode d'histoire française, ceux qui permettent de rendre compte de son dénouement, et du même coup de se faire une opinion plus raisonnée sur notre temps.

CHAPITRE 1

LA GRANDE GUERRE

1914 : La guerre de mouvement

Lorsque, le 3 août 1914, la guerre commence, le peuple français se porte vers la frontière avec une résolution, et même un enthousiasme que nous avons peine à nous représenter aujourd'hui. Certains n'avaient jamais admis le rattachement à l'Allemagne de l'Alsace-Lorraine, effectué au mépris de la volonté des populations ; l'occasion s'offrait de réparer cette injustice. Beaucoup vivaient depuis près de dix ans — depuis 1905 — dans une atmosphère d'angoisse de plus en plus lourde, à mesure que des alertes répétées mettaient la paix en danger : mieux valait en finir une bonne fois avec cette inquiétude. Mais il y avait aussi en France, essentiellement dans les milieux d'extrême-gauche, un mouvement pacifiste ardent, qui paraissait pouvoir compter sur les nombreux militants et la forte organisation des syndicats ouvriers. Que ce mouvement n'ait pas empêché l'unanimité nationale, le fait paraît dû essentiellement aux circonstances du déclenchement de la guerre : que le grand empire austro-hongrois s'en prenne à la petite Serbie, et le vieux réflexe démocrate favorable aux nationalités se déclenche ; dans l'engrenage diplomatique complexe qui à partir de là va généraliser le conflit, chaque Français est alors persuadé — les doutes viendront plus tard

— que son gouvernement s'efforce de maintenir la paix : c'est à l'appuyer et à le pousser dans cette voie que Jaurès se dépense. Comment dès lors sera-t-il possible, quand ce même gouvernement lancera l'appel aux armes, de se dresser contre lui ? Et puis, la France reste le pays de la Révolution, celui qui a enseigné la liberté au monde ; en face des Empires Centraux autoritaires d'Allemagne et d'Autriche-Hongrie, elle est la République. Et le patriotisme spécifiquement républicain, sujet à des éclipses, mais d'autant plus ardent lorsqu'il se réveille, va rejoindre et renforcer l'autre, l'attachement traditionnel à une terre, à une culture, à une histoire.

Aussi le ministère Viviani — lui-même orienté à gauche — renonce-t-il d'emblée aux mesures de sécurité policière qu'on avait prévues contre certains militants ouvriers suspects de vouloir troubler la mobilisation. Et dès le 26 août il s'élargit en incluant des représentants de tous les partis, y compris deux socialistes : le patriarche Jules Guesde, et le « Jeune Turc » Marcel Sembat. L'Union Sacrée au gouvernement reflète la cohésion morale de la nation.

Cet accord des volontés est bien nécessaire, car la France est, de tous les belligérants, celui qui s'impose dès le début des opérations l'effort le plus grand. Avec 39 millions d'habitants contre 60 pour l'Allemagne, les effectifs français sous les drapeaux ne sont inférieurs que de 20 p. 100 à ceux de l'adversaire direct. Au surplus, la France n'est pas seule. L'entrée en guerre de l'Angleterre la dispense de toute inquiétude sur mer. Surtout la France s'est avec soin, depuis un quart de siècle, ménagé l'alliance de la Russie. L'Allemagne est donc obligée de compter, sur sa frontière de l'Est, avec un pays immense, aux ressources humaines apparemment inépuisables — mais qui lui est très inférieur sous le rapport de l'équipement et de l'organisation.

A ne compter que le front occidental — le seul qui alors intéresse la France — l'Allemagne y aligne 78 divisions d'infanterie ; en face, 72 divisions françaises, 5 anglaises, 6 belges, au total 83. Cette légère infériorité numérique des Allemands est d'ailleurs susceptible de s'aggraver, car ils n'ont laissé face aux Russes qu'un rideau de troupes, qu'ils peuvent être — et qu'ils seront

— amenés à renforcer. L'armement des forces opposées est largement comparable ; les troupes allemandes sont pourtant mieux dotées en mitrailleuses, et en artillerie lourde (mais le rôle de celle-ci, dans la guerre de mouvement, ne sera pas décisif) ; par contre, le canon de campagne français — le 75 — se révélera sans rival. Mais il faut noter que les armées françaises, anglaises et belges, au début surtout, coordonneront très mal leur action.

Et pourtant, les Allemands comptent — selon un plan déterminé dans ses grandes lignes depuis une dizaine d'années — en finir avec la France en six semaines par une offensive de grande envergure. Comment expliquer une telle confiance ? Tout d'abord l'Allemagne est persuadée de la supériorité technique de son armée — et bien des Français se défendent mal d'en être eux-mêmes convaincus. Dans l'état-major allemand on a tendance à croire aussi que la force de résistance française risque d'être minée par l'agitation révolutionnaire et antimilitariste. Enfin on se fie volontiers à la hardiesse même du Plan Schlieffen : le traité de 1871 s'est appliqué à rendre difficilement franchissable la frontière allemande du côté français, couverte par les Vosges et les camps retranchés de Metz et de Thionville ; 16 divisions devront suffire à garder cette frontière. Avec 52 autres on effectuera une vaste manœuvre de débordement par la Belgique — en violant la neutralité belge dont la Prusse est l'un des garants.

Face à cette menace, dont il est depuis longtemps averti, l'état-major français se trouve dans une situation embarrassante. Il n'est pas question pour lui de violer la neutralité belge : le gouvernement ne le permettrait pas. D'autre part, l'expérience de la campagne de 1870 a mis en relief les dangers de la passivité et la valeur de l'offensive. Le commandement français a donc dû prévoir deux offensives en terrain difficile : au Sud des Vosges, en Alsace, et entre Vosges et Moselle, dans la zone des étangs de Lorraine. Ce sont d'ailleurs des offensives de rupture, les moins prometteuses, sans possibilité de manœuvre. Enfin, si les Allemands pénètrent les premiers en Belgique, une contre-offensive est envisagée, à travers les Ardennes et le Luxembourg belge. Cette dernière repose sur une erreur d'appréciation : le commandement français croit que les Allemands ne s'étendront pas à l'Ouest de la Meuse. Aussi ne prévoit-il au début que 31 divisions pour faire face à l'aile marchande allemande.

Or les Allemands utilisent largement les possibilités de manœuvre qu'offre la plaine belge à l'Ouest de la Meuse. Ils se portent sur Bruxelles, tandis que les troupes belges se replient sur Anvers, livrant le passage. Puis les armées allemandes, se rabattant vers le Sud, se heurtent aux Français et aux Anglais venus à leur rencontre, et c'est la bataille des frontières, ou bataille de Charleroi. Que ce soit en raison de leur supériorité numérique locale, du meilleur entraînement initial de leurs troupes, ou du caractère improvisé des ripostes françaises, les Allemands remportent une nette victoire. A partir du 24 août, les armées alliées sont en pleine retraite à l'Ouest de la Lorraine.

Conformément à ses plans, l'armée allemande poursuit ses adversaires vers le Sud, puis vers le Sud-Est, afin de les envelopper et de les détruire. Mais c'est alors que l'armée française, et son chef le général Joffre, réussissent une opération dont il y a bien peu d'exemples : une « manœuvre en retrait » qui, au lieu de se transformer peu à peu en déroute, s'opère de façon de plus en plus systématique et disciplinée, créant ainsi progressivement les conditions de la victoire. Pour les combattants eux-mêmes, « la Retraite » sera un des souvenirs qu'ils évoqueront plus tard avec la fierté la plus grande. Et le commandement français accomplira un véritable tour de force : non seulement il parviendra à maintenir constamment la coordination entre des troupes qui reculeront sans abandonner leurs armes, et en demeurant constamment prêtes à se retourner pour contre-attaquer ; mais en même temps il fera glisser de l'Est vers l'Ouest suffisamment d'unités pour reconstituer une armée autour de Paris, paralysant ainsi toute manœuvre de débordement ; en outre, une menace se préparera ainsi contre l'aile droite allemande (la 1re armée de Von Kluck) qui, inconsciente du danger, fonce vers le Sud.

C'est le 4 septembre que les deux commandements adverses prennent conscience de la nouvelle répartition des forces et de leur situation sur le terrain : l'aile droite allemande, aventurée au-delà de la Marne, est menacée d'être débordée et attaquée sur ses arrières. Mais le commandement français — bien qu'il doive passer du temps à convaincre les Anglais — réagira mieux et plus vite. Gallieni, gouverneur militaire de Paris, suggère tout de suite l'offensive dans le flanc de Von Kluck ; Joffre, général en chef, non seulement se rallie bientôt à cette manœuvre, mais réalise avec ses commandants d'armée la volte-face complète de ses troupes, qui, du jour au lendemain, après plus de 10 jours de retraite, repartent à l'attaque ou se cramponnent sur place ; enfin, les actions des diverses armées seront remarquablement coordonnées. Au contraire, le général en chef allemand, Moltke, dirige la bataille de trop loin, et ses commandants d'armée agissent un peu chacun pour soi. Von Kluck, après s'être avancé imprudemment sans tenir compte de ses instructions, se reporte vers le Nord et vers l'Ouest avec une telle précipitation, qu'il ouvre une brèche entre son armée et la 2e brèche où pénètre le corps expéditionnaire britannique. Les Allemands tentent de rétablir la bataille en attaquant à l'Est, de l'Argonne à Nancy. Ils échouent, et le 10 septembre, leur retraite est générale. La France a gagné sur la Marne une bataille si brillante, à partir d'une situation si compromise, qu'on a pu parler de « miracle de la Marne ».

Ce n'est pourtant pas la fin de la campagne. Le commandement allemand a vu son plan échouer, mais Falkenhayn — qui a remplacé Moltke — tente de le reprendre en débordant ses adversaires par le Nord-Ouest. Mais les Alliés font échouer la manœuvre en étendant également leur ligne vers la gauche : c'est la « course à la mer ». Là encore, les Alliés auront finalement l'avantage, car ils interdiront aux Allemands tous les ports français de la Manche et de la Mer du Nord, indispensables à la liaison franco-anglaise, et pousseront une pointe jusqu'en Belgique. A la fin de novembre, quand les intempéries viennent paralyser les opérations, les deux masses alliées se font face le long d'un front continu, dont le tracé ne changera guère pendant quatre ans : partant de la Mer du Nord un peu à l'Est de Dunkerque, il descend vers le Sud, laissant Lille aux mains des Allemands, passe à proximité d'Arras, à l'Est d'Amiens ; puis, dans la région de Soissons, la direction Nord-Sud se transforme en une direction Ouest-Est ; le front passe tout près de Reims et de Verdun, qui demeurent aux mains des Français, dessine une pointe à Saint-Mihiel, puis, au Nord de Nancy, rejoint à peu près la frontière de 1871 ; à l'extrême-sud, les troupes françaises ont conquis et gardé un petit coin d'Alsace, autour de Thann. Cette « carte de guerre » est assurément très favorable à l'Allemagne : les principales régions industrielles françaises, dans le Nord et en Lorraine, sont entre les mains de l'ennemi ou sous son feu. Pourtant la France, loin d'être hors de combat, a préservé l'essentiel de ses forces.

L'adaptation de la vie nationale à une guerre longue

En 1914, lorsque le conflit éclate, l'opinion générale, dans tous les pays, est que la guerre sera courte. Il ne s'agit pas là d'un excès de présomption des états-majors ; les experts estiment que les mécanismes de la vie économique sont désormais trop complexes et trop délicats pour supporter pendant plus de quelques mois le bouleversement qu'entraîne la guerre moderne. Cela est particulièrement vrai pour la France, qui a mobilisé ses hommes beaucoup plus complètement qu'aucun autre belligérant : pendant les mois d'été, la vie économique s'y est presque totalement arrêtée ; la population civile vit sur ses réserves, comme l'armée sur les stocks constitués en temps de paix.

Aussi, lorsque l'automne s'achève, et que la décision militaire se trouve reportée, dans l'hypothèse la plus optimiste, au printemps de l'année suivante, doit-on tout d'un coup faire face à des problèmes d'une nature et d'une dimension toutes nouvelles. Il faut satisfaire tout d'abord aux besoins de l'armée, dont les munitions s'épuisent, dont le matériel s'use ou se révèle inadapté aux exigences d'une guerre imprévue. En second lieu, il y a un minimum de besoins civils qu'on ne peut indéfiniment négliger. Il faut donc remettre en marche la production ; même en faisant très largement appel à la main-d'œuvre féminine, il est nécessaire de rappeler des armées nombre de spécialistes que l'on met en « affectation spéciale ». Même ainsi, il ne sera pas possible de faire face à toutes les demandes : avec une production forcément réduite (d'autant plus que les principales zones industrielles sont inutilisables), et l'énorme consommation des armées qui doit être satisfaite d'abord, les besoins civils ne peuvent être couverts que très partiellement ; cela suppose un rationnement par voie autoritaire, et non plus par le libre jeu du marché ; ainsi l'économie est contrainte de s'étatiser. En France, on accomplit cette tâche lentement et sans méthode. Sauf pour les armes, on recourt largement à l'importation : la chose est possible, puisque la flotte anglaise garantit aux Alliés la liberté des mers. Pour payer les marchandises importées, la France mobilise et liquide peu à peu ses importants avoirs à l'étranger. D'autre part, l'impôt et même l'emprunt sont insuffisants à couvrir des dépenses publiques énormément accrues. Mais puisque le cours forcé de la monnaie a été établi dès le début de la guerre, la tentation, à laquelle les autorités ne résistent pas, est d'émettre des billets, sans contrepartie, simplement pour couvrir les dépenses publiques : c'est l'inflation sous sa forme la plus simple. Mais le procédé rencontre très vite sa sanction : il met en circulation plus de moyens de paiement qu'il n'y a de marchandises à acheter, et les prix montent : la crise de vie chère est susceptible de gêner l'effort de guerre en créant des difficultés sociales. Les 20 et 29 avril et 29 juillet 1916 sont prises les premières mesures de taxation, c'est-à-dire de limitation autoritaire des prix de certaines denrées essentielles.

Dans les premières semaines de guerre, l'autorité du général en chef est pratiquement sans limites. Gouvernement et Parlement font entièrement confiance à Joffre : il n'est d'ailleurs guère possible de le contrôler, ni même de prendre sur son temps, quand les événements vont si vite, et que chaque heure compte. Aussi bien la vie nationale est-elle arrêtée au profit des opérations militaires. Pour ne les gêner en rien, les pouvoirs publics ont quitté Paris pour Bordeaux (2 septembre 1914), et la session parlementaire a été déclarée close. Mais cette situation, elle aussi, ne peut être que provisoire. Dès l'instant que se posent d'une façon pressante à la fois et durable des problèmes de production, d'administration économique, voire plus tard des problèmes sociaux et par là même politiques, le rôle des autorités civiles reprend son importance. D'ailleurs, à partir de décembre 1914, le Parlement reprend son activité.

Ce rétablissement de l'autorité du pouvoir civil ne s'effectua pourtant pas sans difficultés ni sans heurts. Il rencontrait tout d'abord une limitation permanente dans les exigences du secret des opérations militaires. En outre, Millerand, ministre de la guerre du cabinet Viviani, paraissait plus préoccupé de couvrir le général Joffre que de le contrôler. Pourtant, dès le mois de décembre 1914, la Commission de l'Armée de la Chambre des Députés se réunit, et se préoccupa activement des insuffisances du matériel et des équipements militaires. Bientôt les commissions de la Chambre et du Sénat revendiquèrent le droit d'effectuer des inspections, au moins dans les établissements de la zone de l'intérieur travaillant pour la défense nationale. Puis une campagne se développa dans la presse, sur le thème : « Des canons, des munitions ! » Très vite d'ailleurs certains parlementaires s'aventurèrent à proposer des suggestions d'ordre stratégique : il n'est guère possible d'éviter tout à fait le conflit entre le contrôle et la compétence. La lutte entre Millerand et le Parlement finit par user le ministère Viviani, et en octobre 1915 — miné en outre par les déceptions de la deuxième année de guerre — celui-ci dut démissionner. Il fut remplacé par un ministère Briand, qui conservait fidèlement la formule de l'Union Sacrée ; mais le nouveau ministre de la guerre, Gallieni — peut-être en partie par rivalité personnelle à l'égard de Joffre — se mit en devoir de s'opposer aux empiètements du Grand Quartier Général dans les problèmes civils, diplomatiques, politiques ou économiques. Le début de la bataille de Verdun amena également Gallieni à critiquer la conduite des opérations militaires. Cet assaut contre Joffre était sans doute prématuré, et Gallieni dut démissionner (mars 1916). Mais le problème de l'autorité suprême était posé.

La guerre d'usure : Verdun (novembre 1914-décembre 1916)

Lorsque arrive l'hiver de 1914 les deux armées adverses sont immobilisées, de la mer à la frontière suisse, sur un front continu, constitué par deux réseaux de tranchées parallèles. La continuité du front exclut désormais toute manœuvre de débordement. Et l'on apprendra progressivement combien ce front est difficile à percer. Pour en venir à bout, l'artillerie prendra une importance croissante : car il faut détruire les défenses de l'adversaire avant de lancer l'infanterie à l'assaut. L'armement et l'équipement de l'infanterie sont également appelés à se transformer. Pelles et pioches, grenades et mortiers de tranchée prendront place à côté des fusils et des mitrailleuses. Le développement considérable du matériel amènera peu à peu une différenciation et une spécialisation des troupes aux divers échelons, de la division jusqu'au bataillon. Tout cet effort d'outillage et de réorganisation est naturellement très lent ; il s'étendra jusqu'en 1918.

En 1915, le commandement français n'a nullement renoncé à obtenir une percée suivie d'une reprise de la guerre de mouvement. Il le peut d'autant moins que l'Allemagne reporte tout son effort à l'Est ; par d'amples offensives sur le front oriental, trop vaste pour être solidement tenu, elle espère, non pas écraser l'immense Russie, mais l'amener à conclure une paix séparée que souhaitent certains personnages russes haut placés. Pour parer à ce danger, il est nécessaire de soulager la Russie par des offensives sur le front Ouest. Celles-ci bénéficient de circonstances favorables : tandis que de nombreuses troupes allemandes sont transportées à l'Est, la Grande-Bretagne augmente fortement sa participation à la bataille terrestre ; les Franco-Anglais disposent donc désormais sur le front Ouest d'une forte supériorité numérique.

Mais la percée d'un front solidement organisé pose des problèmes tactiques qui ne sont pas près d'être résolus. Des séries d'efforts locaux — en Champagne en février 1915, en Woëvre au mois d'avril, notamment — ont montré qu'il était impossible d'aborder la position ennemie sans préparation d'artillerie préalable. Mais les tirs concentrés d'artillerie, prolongés pendant plusieurs jours, mettent l'adversaire en alerte, et font perdre à l'assaillant le bénéfice de la surprise. Dans le terrain bouleversé, la progression est lente, l'ennemi, même si sa première ligne est enfoncée, a le temps d'amener ses réserves. Ainsi échouent finalement les grandes offensives d'Artois (mai-juin 1915) et de Champagne (septembre-octobre 1915). Échecs coûteux : les Alliés ont perdu 250 000 hommes, tués et blessés, les Allemands 140 000. Aussi, à la fin de 1915, le commandement français se résigne-t-il à la défensive.

Mais longtemps auparavant, la paralysie de plus en plus évidente des opérations sur le sol français a amené les plus impatients — dans le personnel politique plus que dans le personnel militaire — à rechercher la possibilité d'actions de grande envergure sur d'autres théâtres. L'entrée en guerre de la Turquie aux côtés de l'Allemagne et de l'Autriche-Hongrie (novembre 1914) en fournit l'occasion. Dès janvier 1915, Winston Churchill, Premier Lord de l'Amirauté britannique, songe à un coup sur Constantinople. Les avantages escomptés en sont multiples : tout d'abord, détourner la Turquie de menacer les positions anglaises de Suez et dans le Golfe Persique ; puis — et cela intéresse tous les Alliés — rétablir une communication directe avec la Russie, qu'il n'est possible de ravitailler et d'aider que par l'Océan Glacial Arctique. Mais le terrain d'attaque est mal choisi : le Détroit des Dardanelles, long couloir marin entre des côtes montagneuses et escarpées, offre des facilités exceptionnelles à la défense. On croit d'abord qu'une escadre franco-anglaise pourra par ses seuls moyens forcer le passage. L'assaut purement naval, tenté au mois de mars 1915, échoue avec de lourdes pertes : les bateaux ne pourront passer que si l'infanterie occupe au préalable la presqu'île de Gallipoli. Force est alors d'arracher, par petits paquets, des effectifs aux commandants français et anglais du front de l'Ouest, qui résistent, estimant avoir besoin de garder tout leur monde. D'avril à novembre 1915, les tentatives de débarquement sur la presqu'île de Gallipoli aboutissent à de nouveaux et coûteux échecs : les pertes totales se montent à

145 000 hommes. Cependant l'affaire a provoqué en Grande-Bretagne une crise ministérielle aboutissant à l'élimination de Winston Churchill (18 mai).

Mais ce n'est pas la fin des expéditions orientales. En effet, en septembre 1915 la Bulgarie se joint aux Empires Centraux pour écraser la Serbie, que l'Autriche-Hongrie a jusque-là négligée. La Grèce est tenue par un traité d'alliance à secourir la Serbie en cas d'attaque bulgare ; et c'est elle-même qui suggère de reporter sur Salonique, pour venir en aide aux Serbes, une partie au moins de l'armée alliée immobilisée aux Dardanelles. Ce qui est fait à partir d'octobre, non sans complications diplomatiques : car la Grèce s'est ravisée, par suite d'un désaccord entre le roi germanophile et le premier ministre Venizelos, favorable aux Alliés. Finalement le corps expéditionnaire de Salonique, trop faible et amené trop tard, ne réussit pas à rejoindre les Serbes débordés par les Bulgares. Il faut ajouter, pour être complet, que la question du commandement de l'armée de Salonique a été compliquée par une rivalité de clans politico-militaires : l'Affaire Sarrail.

Cet ensemble complexe d'opérations en Méditerranée orientale n'a sans doute pas beaucoup influé militairement sur l'issue de la guerre. Il n'en est pas moins significatif. Il montre que les dirigeants politiques ne peuvent s'en remettre très longtemps aveuglément à des chefs militaires bloqués par une guerre de positions sans perspectives évidentes. Peut-être aussi a-t-il joué le rôle d'un abcès de fixation : tant que le Gouvernement et le Parlement ont eu leur attention sollicitée par les Dardanelles et par Salonique, ils ont été moins tentés d'intervenir dans la stratégie et la tactique sur le front de l'Ouest.

Car les chefs militaires, en 1915 et 1916, s'enfoncent de plus en plus dans la guerre de positions ; et non sans réticences, ils adaptent peu à peu leur théorie à leur pratique. Alors que Joffre demeure en principe attaché à la guerre de mouvement, Pétain élabore la doctrine de la guerre d'usure. Celle-ci est fondée avant tout sur la puissance du feu, qui devient primordiale : « l'artillerie conquiert le terrain, l'infanterie l'occupe ». Dès lors, l'objectif d'une offensive est moins de retrouver la possibilité de se mouvoir en terrain libre, que d'infliger à l'adversaire des pertes insupportables par un pilonnage incessant de sa position. Il est vrai que la réplique est facile à trouver : il suffit de reculer à temps, ou mieux d'échelonner la défense en profondeur, en laissant le moins de troupes possible sur la première ligne, la plus exposée. C'est ici que le général en chef allemand Falkenhayn — qui, avec le même point de départ que Pétain, a élaboré une théorie beaucoup plus systématique — croit avoir trouvé la solution originale. Il s'agit de paralyser la tactique défensive de l'adversaire en l'attaquant là où il ne pourra reculer et devra se laisser détruire sur place. Il choisit le secteur de Verdun, en raison de l'importance géographique et morale du camp retranché. Dès le 21 février 1916, les Allemands déchaînent l'orage sur Verdun. Joffre, fidèle à sa doctrine de mouvement, a négligé les ouvrages de la forteresse. Mais, cédant à la pression du gouvernement et de l'opinion, il est contraint de s'accrocher aux collines qui dominent Verdun e d'y faire passer, par rotation, une grande partie de l'armée française. Sur ce point, Falkenhayn, au départ, avait vu juste. Mais l'héroïsme des défenseurs, qui pendant six mois se font tuer sur place en cédant très peu de terrain, empêche l'ennemi de déboucher ; et en définitive, quand l'offensive est finalement arrêtée, les Allemands ont perdu 240 000 hommes, presque autant que es Français (275 000) ; c'est la condamnation des calculs de Falkenhayn — et du même coup des théories de la guerre d'usure.

Pire : l'effort énorme et prolongé qu'a nécessité la défense de Verdun n'a pas empêché Français et Britanniques de monter, sur la Somme, une grande offensive qui se développe à partir du 1er juillet 1916, et où le matériel joue un rôle sans précédent. Là encore, la rupture n'est pas obtenue ; mais l'armée allemande a cruellement souffert.

Finalement, malgré des déceptions répétées, le bilan de cette longue période est favorable à la France et à la Grande-Bretagne. La résistance de Verdun a eu dans le monde entier un énorme retentissement. La durée même du conflit est néfaste aux Empires Centraux, que le blocus mine peu à peu, tandis que se mobilisent de plus en plus complètement les immenses ressources de l'Empire britannique. Mais la France aura-t-elle longtemps encore la force morale de tenir ? A la fin de 1916, successivement Foch qui dirigea l'offensive de la Somme, puis Joffre lui-même, perdent leurs commandements. Ce ne sont là que quelques signes d'impatience entre bien d'autres.

1917 : La crise militaire et politique

L'année 1916 avait vu s'amplifier la tendance déjà amorcée auparavant au rétablissement du contrôle civil, et notamment du contrôle parlementaire, sur le commandement militaire. L'acte décisif fut l'acceptation par le gouvernement de la réunion des Chambres en « Comités secrets » : c'était dire que le Parlement pourrait désormais discuter des affaires confidentielles, y compris, en fait, la conduite des opérations. Le premier comité secret eut lieu le 6 juin 1916 ; il fut suivi d'une série de séances beaucoup plus rudes (28 novembre-7 décembre 1916) qui précipitèrent la disgrâce de Joffre. Dans le même temps, deux événements vinrent aggraver et rendre plus directes les responsabilités des autorités civiles : la proposition de négociation en blanc des Empires Centraux, le 12 décembre 1916, et la note lancée par Wilson, président des États-Unis, le 20 décembre 1916, demandant aux belligérants de préciser leurs buts de guerre. Ces deux initiatives ne sont pas directement en rapport avec la situation sur le front français, puisqu'elles se rattachent à la menace de reprise de la guerre sous-marine à outrance par l'Allemagne. Mais elles ne sont pas sans répercussion sur les opinions publiques, et le gouvernement français notamment n'en est que stimulé davantage à rechercher une décision rapide, à ne plus se résigner à la guerre d'usure qui s'est d'ailleurs avérée, au cours de l'année écoulée, conduire militairement à une impasse.

C'est toute la signification du remplacement de Joffre par Nivelle au poste de général en chef. Nivelle apporte avant tout une psychologie différente, orientée essentiellement vers l'offensive et le retour à la guerre de mouvement. Mais comment y parvenir ? Les nouveaux moyens techniques qui changeront les conditions de la guerre — chars d'assaut par exemple — ne sont pas encore au point. Nivelle croit trouver la solution dans une combinaison de la bataille d'usure et de l'attaque par surprise. L'usure serait obtenue par une offensive concentrique lancée en mars, les Britanniques se portant vers l'Est en Artois, en direction de Cambrai, les Français déclenchant quelques jours plus tard une offensive parallèle vers Saint-Quentin. Ensuite, une attaque française Sud-Nord, de l'Aisne vers l'Oise, créerait la surprise, et tomberait sur le flanc de l'ennemi qui aurait déjà engagé ses réserves pour contenir les offensives précédentes. La percée, ainsi supposée réalisée, serait exploitée sans retard ; mais — et c'était là la faille du système — Nivelle ne disposait pas de réserves suffisantes pour les consacrer uniquement à cette exploitation. Le plan eût supposé une supériorité de moyens dont les Alliés ne disposaient pas.

Ces projets, déjà très aventureux dans leur conception initiale, allaient connaître avant même leur mise à exécution des avatars de toute espèce. Tout d'abord ils posaient, pour la première fois depuis la fin de 1914, la question de la coordination des commandements des armées françaises et britanniques dans la bataille. A la suite de la conférence de Londres (12-13 mars 1917) l'unité de commandement est décidée pour la durée de la bataille, au profit du général Nivelle ; cela se fit sans trop de difficultés, puisque le rôle assigné aux troupes anglaises était celui d'une offensive classique. Déjà pourtant les Allemands repliaient leurs positions les plus aventurées et les moins solides, les 24 et 25 février, puis dans la nuit du 12 au 13 mars ; c'est toute la première phase du Plan Nivelle — la bataille d'usure — qui se trouve remise en question. Et le lendemain même de la conférence de Londres le ministère Briand démissionne, le général Lyautey, ministre de la Guerre, s'étant heurté à la Chambre. Signe que le contrôle civil sur la marche des opérations allait se faire désormais de plus en plus étroit et de plus en plus impatient. Effectivement le nouveau ministre de la Guerre, Painlevé, se montre d'emblée fort critique à l'égard des projets Nivelle. Il ne manque d'ailleurs pas d'arguments d'ordre général, sans même s'aventurer sur le terrain technique qui n'était normalement pas le sien. A partir du 8 mars, la Révolution a éclaté en Russie ; or les offensives Nivelle s'inscrivaient dans un ensemble, et devaient être soutenues par des offensives russes qui semblent maintenant bien compromises. D'autre part, l'entrée en guerre des États-Unis contre l'Allemagne se prépare dès le mois de février, et devient officielle le 2 avril ; dès lors la guerre d'usure offre de nouvelles perspectives, et il n'est peut-être plus nécessaire de rechercher une décision rapide. Le gouvernement va essayer d'obtenir de Nivelle qu'il revise son plan et se contente d'une offensive de style traditionnel. Une conférence extraordinaire réunit à Compiègne le 6 avril les principaux responsables civils et militaires : le général en chef n'a donc plus de domaine réservé. Nivelle obtient finalement l'autorisation d'exécuter ce qui reste de ses projets. Les Britanniques partent les premiers, le 9 avril, et enlèvent la crête de Vimy qui barre l'accès du bassin houiller du Nord ; mais ils ne vont pas au-delà. L'offensive française sur Saint-Quentin doit s'arrêter au bout de deux jours (12-14 avril). Rien d'étonnant dans ces conditions que la grande offensive de rupture, qui devait emporter Laon en quelques heures, échoue complètement (16-19 avril) malgré la première mise en œuvre des chars d'assaut. Quelques efforts partiels ont encore lieu, mais le 15 mai Nivelle est relevé de son commandement.

Son successeur, Pétain, est exactement à l'opposé de ses conceptions. Pétain incarne la stratégie d'attente, mais maintenant il sait ce qu'il attend : « les Américains et les tanks ». Il se trouve d'ailleurs que cette attitude est imposée par l'état de l'armée, et les remous qui pour la première fois s'y manifestent. Durant les mois de mai et juin 1917, les troupes qui ont particulièrement souffert des infructueuses offensives Nivelle connaissent des mutineries, qui à vrai dire ressemblent plutôt à des grèves qu'à une insurrection. Pétain apaise rapidement ce mouvement, en n'abusant pas des mesures de rigueur, et en manifestant un intérêt particulier pour le bien-être matériel du soldat. Mais évidemment l'état d'esprit des troupes exclut pour un temps toute opération d'envergure.

Aussi bien la lassitude des troupes apparaît-elle beaucoup moins grave que la crise du moral de l'arrière. Celle-ci remonte loin, et résulte de causes diverses. Causes matérielles d'abord : la pénurie relative des biens consommables, ainsi que l'abondance du pouvoir d'achat distribué aux travailleurs « improductifs » — ceux des usines de guerre — entraînent une hausse du coût de la vie d'autant plus sensible qu'on recourt trop tardivement et de façon trop limitée au seul remède que permettent les circonstances : le rationnement. Causes morales aussi : ceux qui ne sont pas directement engagés dans la bataille ressentent d'autant plus de lassitude devant cette guerre dont on n'entrevoit plus la fin ; les misères quotidiennes, les deuils de plus en plus nombreux, viennent renforcer ce sentiment. Il exerce une influence toute particulière sur le mouvement ouvrier, en raison de son passé pacifiste. En 1916, un mouvement socialiste internationaliste s'est reconstitué en Suisse, et va exercer une influence d'abord faible, mais rapidement croissante. Au congrès socialiste national de décembre 1916, 1 407 voix contre 1 537 se prononcent pour la reprise des relations avec les socialistes étrangers, même des pays ennemis ; 1 372 contre 1 637 sont hostiles à la collaboration des membres du Parti au gouvernement de défense nationale. La Révolution russe renforce naturellement ces courants, et joue désormais le rôle d'un pôle d'attraction. Une conférence internationale socialiste est convoquée à Stockholm pour le 18 mai, mais le gouvernement refuse leurs passeports aux délégués français désignés pour cette conférence. En même temps, en mai et juin, des grèves se produisent autour de revendications économiques ; mais la Fédération des Métaux essaie de lancer à cette occasion un mouvement révolutionnaire. Quand le 7 septembre Ribot quitte le pouvoir, les socialistes refusent d'entrer dans le nouveau ministère, bien que celui-ci soit présidé par un homme de gauche, Painlevé. Ce malaise et cette lassitude atteignent d'ailleurs, quoique inégalement, tous les milieux et tous les belligérants. En témoignent aussi bien la réapparition de l'instabilité ministérielle, que les multiples négociations secrètes plus ou moins sérieuses qui s'amorcent, et dont la principale met en rapports l'empereur d'Autriche et le gouvernement français, par l'intermédiaire des princes de Bourbon-Parme.

L'année de la décision (novembre 1917-novembre 1918)

Pourtant, pour remplacer Painlevé, le Président de la République Poincaré fait appel à Clemenceau, qui personnifie la guerre à outrance. Et dans son désarroi l'opinion se rallie en masse à cet homme fort. Il obtient l'investiture de la Chambre par 418 voix contre 65.

Clemenceau, tempérament autoritaire et champion convaincu, depuis sa jeunesse, de la République parlementaire, va donner l'exemple du degré d'autorité et d'efficacité auquel peut parvenir un gouvernement démocratique. Il coopérera volontiers avec les commissions des Chambres, se refusant seulement à la procédure des Comités secrets qui permettait en fait trop de fuites. Il couvrira entièrement ses généraux devant les critiques parlementaires, mais ne se privera pas de leur rappeler sans ménagement la suprématie du pouvoir civil, et ne s'interdira même pas d'intervenir dans les questions de stratégie générale. En un mot, il assume pleinement les responsabilités suprêmes. Le seul pouvoir exceptionnel qu'il demande — et que justifiait depuis longtemps l'usure de l'économie française — c'est la faculté, accordée par la loi du 10 février 1918, de légiférer par décrets dans tous les domaines de la vie économique.

Avant tout, Clemenceau lutte contre le défaitisme. Non sans générosité ni discernement politique, d'ailleurs. Il laisse faire, sans intervenir, le procès de Jean Louis Malvy, ancien ministre de l'Intérieur, qui n'est coupable que de faiblesse. Il refuse d'arrêter le syndicaliste Merrheim, secrétaire de la Fédération des Métaux, qui s'est engagé dans la propagande pacifiste. Mais il s'acharne contre Joseph Caillaux, à qui on ne saurait juridiquement reprocher que des paroles ou des écrits imprudents, et des fréquentations douteuses ; mais Caillaux, personnalité de premier plan, incarne alors la politique de négociation orientée vers une paix de compromis ; politique qui, en face d'une Allemagne dominée par l'implacable volonté du Grand Quartier Général, d'Hindenburg et de Ludendorff, avait toutes chances de mener la

France au désastre. Clemenceau ne se bornait d'ailleurs pas à raffermir « l'arrière » ; par ses visites fréquentes aux tranchées, et la familiarité qu'il manifestait aux soldats, il s'appliquait à renforcer le lien moral entre la nation et son armée.

La France avait grand besoin de cette direction ferme pour affronter la grande épreuve qu'elle ne pouvait manquer de subir. Car l'Allemagne, débarrassée du front russe, peut désormais reporter vers l'Ouest la plus grande partie de ses forces. Dès octobre 1917, la déroute italienne de Caporetto constitue un premier avertissement. Et au début de 1918 l'armée allemande dispose sur le front français de 192 divisions d'infanterie, soit 20 de plus que ses adversaires. D'autre part l'Allemagne a besoin d'une décision rapide ; non seulement son alliée l'Autriche-Hongrie est dans une situation intérieure très grave, mais à partir de l'été 1918 l'afflux des troupes américaines renversera le rapport des forces d'une façon irréversible.

Obtenir la décision signifierait revenir à la guerre de mouvement. Mais aucun des états-majors opposés, en 1918, n'a encore trouvé les moyens techniques de ce retour [1]. Les Allemands partent d'un thème général assez analogue à celui conçu par Nivelle en 1917 : des offensives d'usure, suivies d'un essai de percée lorsque l'occasion s'en présentera. Mais ils procèdent à une mise au point beaucoup plus poussée ; par exemple, par un réglage minutieux de la préparation d'artillerie, ils en abrègent considérablement la durée et conservent ainsi des chances de surprise : c'est le « barrage roulant » qui doit en principe accompagner la progression de l'infanterie en la précédant de quelques heures. En outre, les Allemands comptent jouer de l'hétérogénéité du front adverse. Alors qu'en 1914 les Français en constituaient l'essentiel, les Anglais y alignent 35 divisions dès l'automne 1915, 70 divisions au printemps de 1916, et en 1918 leurs forces sont du même ordre que celles de l'armée française, qui, elle, parvient à peine à combler ses pertes. Or en cas de menace grave, le commandement français songera avant tout à protéger Paris ;

1. Il est très important de garder ce fait en mémoire pour comprendre l'évolution de la pensée militaire française jusqu'en 1940.

les troupes anglaises — établies en Flandre et en Picardie — se préoccuperont au contraire de couvrir les ports de la Manche, afin de pouvoir le cas échéant se rembarquer. Le commandement allemand peut donc espérer ouvrir une brèche entre les deux armées et les battre séparément.

Anticipant ces difficultés, Clemenceau se préoccupe, dès son arrivée au pouvoir, d'établir entre les différentes armées alliées l'unité de commandement. Le problème a d'ailleurs été posé par l'actualité dès l'instant où Français et Anglais ont dû envoyer des troupes au secours des Italiens enfoncés à Caporetto. Mais sa solution se heurte à de grands obstacles : essentiellement, le commandant anglais, Haig, considère qu'il n'est responsable que devant son gouvernement et n'a d'ordres à recevoir que de lui. Accessoirement, celui qui est appelé à devenir le commandant en chef interallié, Foch, récemment encore en disgrâce, sera-t-il facilement accepté par le chef des armées françaises, Pétain, dont le tempérament est très différent ? En tout cas, en dépit de nombreux efforts, on n'a abouti à aucun résultat défini lorsque, le 21 mars 1918, les Allemands partent à l'assaut.

Ils ont choisi pour leur première offensive la zone de la Somme, à la charnière des armées française et anglaise. En deux jours, la rupture est faite, et Pétain, d'un naturel pessimiste, est porté à préserver son armée plutôt qu'à se démunir de ses réserves pour sauver les Anglais en déroute, et maintenir la liaison avec eux. Devant ce péril mortel, les Anglais acceptent enfin la suprématie de Foch ; encore celui-ci devra-t-il agir plutôt par persuasion que par autorité. Néanmoins, il réussit à insuffler à tous son ardeur à combattre. D'ailleurs les Allemands ne disposent pas de l'instrument nécessaire pour exploiter leur percée. Manquant de chevaux et de carburant, ils lancent leurs troupes en avant beaucoup moins vite que n'affluent les réserves alliées amenées par Foch pour colmater la brèche. Le 5 avril, l'offensive est arrêtée.

Dès le 9 avril, l'armée allemande repart à l'attaque, en Flandre cette fois, pour tâcher de mettre à profit l'affaiblissement de l'armée anglaise. Mais elle-même est fatiguée, gênée d'ailleurs par le terrain encore humide. Et les Français arrivent à la rescousse. Après la prise du Mont Kemmel (25 avril), la deuxième offensive est abandonnée à son tour. Elle a pourtant réussi à provoquer en Angleterre des remous politiques menaçants.

C'est donc bien, aux yeux du commandement allemand, l'Angleterre qui est l'adversaire le plus faible, celui qu'on peut espérer mettre hors de cause d'abord. Mais il faut encore au préalable attirer ailleurs les réserves françaises accumulées maintenant derrière le front anglais. Pour cela, les Allemands lancent une attaque par surprise contre le Chemin des Dames, au Nord de l'Aisne, sur une position naturellement forte, et que pour cette raison on a cru pouvoir dégarnir au profit des secteurs exposés. L'offensive allemande, commencée le 27 mai, obtient un succès inattendu ; en trois jours, elle parvient jusqu'à la Marne, dessinant une poche profonde. Pourtant aucun des deux adversaires ne s'engage à fond : les Allemands se réservent encore pour le coup décisif en Flandre, et Foch, par une intuition géniale, le devine et garde pour cette éventualité une partie de ses renforts.

L'armée allemande éprouve d'ailleurs le besoin de souffler, et laisse peut-être échapper l'occasion suprême, tandis que les troupes américaines se renforcent rapidement. Elle n'attaque à nouveau que le 15 juillet, et non pas pour l'offensive finale, mais encore pour une opération préparatoire en Champagne, autour de Reims. Mais cette fois, Foch et Pétain ont préparé la contre-offensive, dont les préparatifs ont pu être dissimulés dans la forêt de Villers-Cotterets. Il s'agit — comme en septembre 1914 et à peu près au même endroit — de prendre de flanc l'armée allemande aventurée vers le Sud. L'assaut, lancé le 18 juillet, bénéficie de la surprise, et en trois jours toute la poche allemande est résorbée.

L'Allemagne a désormais perdu l'initiative. Le rapport des forces sera de plus en plus favorable aux Alliés, qui ont d'autre part toujours disposé de la supériorité en chars d'assaut et en aviation. Mais on ne sait pas encore tirer tout le parti possible de ces engins nouveaux. Et d'ailleurs Foch, si différent qu'il soit de Pétain, ne paraît pas avoir une stratégie très neuve. Il n'envisage qu'une série d'attaques de harcèlement et d'usure, qui lui donneront la décision, croit-il, dans le courant de 1919. Il sous-estime l'épuisement physique et moral de l'adversaire, et, pas plus que les Allemands au début de l'année, il n'utilisera pleinement les occasions de percée qui se présenteront. Sa première offensive, au mois d'août, annule les gains de terrain réalisés au printemps par les Allemands en Picardie. En septembre, tandis que le front bulgare s'effondre et que les Turcs perdent la Palestine, Foch entreprend une série d'offensives concentriques ; sous ses « coups de boutoir », le front allemand recule régulièrement, en gardant son alignement ; la menace toujours présente d'une offensive le long de la Meuse ou en Lorraine, qui couperait de leurs bases les armées avancées en Belgique, contribue à interdire tout arrêt durable sur une ligne de résistance. Mais déjà le commandement allemand songe à l'armistice. Dès lors préliminaires diplomatiques et opérations militaires vont de pair. L'Allemagne s'efforce d'obtenir un armistice qui lui permette de reconstituer ses forces et de reprendre la lutte en cas de besoin. Foch, pleinement soutenu sur ce point par les gouvernements anglais et américain, déjoue ce calcul. Ses conditions, finalement acceptées le 11 novembre, mettent l'Allemagne hors de combat au sens le plus littéral du terme.

La France avait ainsi fourni, presque sans faiblir, le plus grand effort collectif de son histoire. Elle en sortait victorieuse, mais épuisée, et la victoire n'avait pu être obtenue qu'avec le puissant concours de l'Empire britannique et des États-Unis d'Amérique. Les fruits de ce triomphe pourraient-ils être conservés lorsque la paix aurait amené l'inévitable relâchement des liens entre alliés ? Le destin du pays peut-être, et en tout cas celui de son régime politique, allaient se jouer sur cette question.

CHAPITRE 2

LA LIQUIDATION DE LA GUERRE

1919-1924

Les effets de la guerre

Sitôt apaisés la joie et l'enthousiasme de l'armistice, la France se retrouve en face des bouleversements opérés par une guerre de quatre ans et demi qui a secoué toute l'Europe. L'alliée russe, qui pendant plus de vingt ans était apparue aux Français comme l'indispensable contrepoids à la puissance allemande, a disparu, remplacée par une inconnue redoutable. L'Autriche-Hongrie s'est effondrée, laissant en Europe Centrale un chaos dont on aperçoit mal encore ce qui sortira. La France se retrouve en face de l'Allemagne. Certes — dès ce moment, personne n'en doute — l'Alsace-Lorraine lui revient ; ce n'est pas seulement, pour les Français, une grande injustice historique qui se trouve effacée ; c'est l'appoint de deux provinces peuplées, à la pointe du progrès économique, c'est le puissant bassin métallurgique lorrain presque tout entier réuni entre les mains françaises. Pourtant, le rapport des forces n'est pas radicalement changé : la France, avec 40 millions d'habitants, n'a que les deux tiers de la population allemande, le tiers ou le quart de la puissance industrielle de sa voisine.

Or, pour échapper à la domination germanique, et au démembrement que bien des Allemands envisageaient pendant la guerre et qui l'auraient privée de ses provinces vitales du Nord et de l'Est, la France avait subi de lourds sacrifices. Elle avait perdu 1 400 000 morts, 700 000 invalides, soit un peu moins en chiffres absolus que les Allemands, mais beaucoup plus en proportion, la population allemande étant non seulement plus nombreuse, mais plus jeune en moyenne. Les générations françaises qui avaient de 20 à 30 ans en 1914, déjà relativement réduites, avaient été saignées de telle sorte qu'elles ne pourraient plus jouer le rôle décisif qui eût dû être le leur, dans les deux décennies suivantes. A quoi il faudrait ajouter les dévastations matérielles, la perte ou la liquidation d'une grande partie des avoirs français à l'étranger. Selon certaines estimations, la fortune française entre 1914 et 1918 aurait été amputée de 25 p. 100.

Plus importants encore peut-être étaient les effets produits par la guerre sur la société française, sur les mœurs, sur les convictions et les idées dominantes. Il n'est guère possible de les décrire ici. On se bornera à esquisser l'attitude des Français à l'égard de la Grande Guerre elle-même. Un grand nombre d'hommes de toutes origines l'avaient faite, fraternellement mêlés ; ils étaient devenus des Combattants, ils allaient rester des Anciens Combattants : à leurs différences professionnelles et politiques allait se superposer un état d'esprit spécial qui leur serait largement commun : désir de rester « unis comme au front » ; sentiment que la nation leur devait quelque chose qui n'était pas un simple dédommagement matériel, mais le devoir de maintenir une certaine dignité, une certaine efficacité, de ne pas compromettre l'héritage qu'ils s'étaient sacrifiés pour conserver [1] ; désir assez imprécis de renouveau.

---

1. Pour illustrer ces remarques, il suffit de rappeler le rôle considérable que les associations d'anciens combattants allaient jouer dans la vie du pays. Indépendamment des grandes associations apolitiques, chaque parti ou tendance politique voudra avoir la sienne : pour les modérés, l'Union Nationale des Combattants (U.N.C.) ; pour les radicaux, la Fédération Nationale des Combattants (F.N.C.R.) ; pour les socialistes, la Fédération Ouvrière et Paysanne des Combattants et Victimes de la Guerre (F. O. P.) ; pour les communistes, l'Association Républicaine des Anciens Combattants (A.R.A.C.).

Ces combattants avaient, et gardèrent pour la plupart, la fierté d'avoir surmonté victorieusement de terribles épreuves, jointe assez souvent à quelque méfiance ou à quelque dédain vis-à-vis de ceux qui n'avaient pas partagé leur expérience. Mais ils avaient, en commun avec — au moins au début — la grande masse de la population, quelques idées simples, qu'on peut exprimer avec des expressions de l'époque : « Plus jamais ça ! », et « Nos morts ne seront pas morts pour rien ! » Ils espéraient fermement l'instauration d'une paix durable, voire définitive ; ils comptaient que leur victoire allait faire disparaître à jamais le danger allemand qui avait hanté leur enfance. Au début, ces deux aspirations n'allaient pas l'une sans l'autre ; on n'imaginait pas en général qu'une contradiction pût apparaître entre le désir de paix et le souci de conserver les fruits de la victoire, et que l'un de ces sentiments pût se rattacher à la « droite » et l'autre à la « gauche ». Pourtant, dès l'élaboration du traité de paix, de graves difficultés allaient se manifester.

Les problèmes français à la conférence de la paix

La Conférence de la Paix, qui siège à Paris pendant une grande partie de l'année 1919, doit accomplir des tâches multiples : reconstruire sur des bases nouvelles toute l'Europe Centrale, transformer le statut du Proche Orient, entre autres. Les grands négociateurs du Traité — Wilson pour les États-Unis, Lloyd George pour l'Empire britannique, Clemenceau pour la France — y trouveront mainte occasion d'affronter leurs conceptions divergentes, et inévitablement ces débats divers par leurs objets influeront les uns sur les autres. Force nous est cependant ici de nous borner à ce qui intéresse directement, et de façon vitale, l'ensemble des Français. Leurs préoccupations peuvent se ramener à deux ; obtenir que l'Allemagne répare toutes les destructions et les pertes qu'elle a causées, notamment aux régions envahies.

Cette dernière revendication était elle-même une concession française, le fruit d'un compromis : sous la pression de Wilson, les Alliés avaient renoncé d'avance à toute indemnité de guerre. En revanche, Wilson a admis le principe des réparations, que nul ne conteste au départ. Mais du principe à l'application, le passage est ardu. Non seulement il y a divergence entre Français et Anglais, sur ce qu'il faut inclure dans les dommages à réparer. Mais l'évaluation même de ces dommages soulève bien des difficultés : l'inventaire en est long à établir, l'estimation monétaire des destructions prête déjà à discussion : prendra-t-on une valeur ancienne, ou la valeur de remplacement, c'est-à-dire l'argent qu'il faudra pour reconstituer le bien détruit ? Divergence très importante à un moment où la valeur des monnaies européennes est incertaine, où les prix montent rapidement. Mais déjà des chiffres circulent : on parle de 200 ou 300 milliards de marks-or. Observons qu'en Allemagne, en juin 1918, le comte de Roon se proposait d'exiger des Alliés, s'ils étaient vaincus, une indemnité de 180 milliards de marks. Nous sommes loin, évidemment, de l'indemnité de 5 milliards de francs imposée par l'Allemagne à la France après la guerre de 1870 [1]. C'est dire que la guerre de 1914-1918, par son ampleur sans exemple, pose des problèmes entièrement neufs qu'aucun précédent n'aide à résoudre. Devant l'énormité des chiffres, les négociateurs anglais et américains en viennent à dire que les revendications de réparations devront être limitées par la capacité de paiement de l'Allemagne. Notion qui paraît dériver du simple bon sens, mais qui n'est susceptible d'aucune définition précise, et peut donner lieu aux interprétations les plus opposées. Finalement, la Conférence de la Paix renonce à trancher le problème, et le confie à une Commission des Réparations, qui devra déposer son rapport avant le 1er mai 1921. Un seul point est acquis, après de longues et ardentes discussions : à titre de dédommagement pour les destructions opérées dans le bassin houiller du Nord, la France recevra la propriété des mines de la Sarre, et ce territoire sera placé pendant 15 ans sous administration internationale. Après quoi, les Sarrois décideront de leur sort par un plébiscite.

1. Rappelons que 1 mark-or = 1,25 franc-or.

L'autre grande exigence française était celle de la sécurité. Le maréchal Foch, chef suprême des armées alliées, en avait défini les conditions militaires, dans deux mémoires, datés du 27 novembre 1918 et du 10 janvier 1919. A ses yeux, la seule défense naturelle de l'Europe, dans la grande plaine du Nord, est la ligne du Rhin ; compte tenu de la disproportion des forces entre la France et l'Allemagne, et du temps que mettraient à arriver d'éventuels secours anglais et américains, il est donc nécessaire de détacher de l'Allemagne la rive gauche du Rhin, et d'en constituer un ou plusieurs États, indépendants, mais sous la garantie politique de la Société des Nations que l'on va créer, et la garantie militaire de l'armée française, qui sera installée sur le Rhin. Telle est, lorsque s'ouvre la Conférence, la position officielle de la délégation française.

Mais elle se heurte à l'opposition absolue des Anglais et des Américains. Pour Wilson, une telle décision serait contraire au droit des peuples à disposer d'eux-mêmes. Lloyd George invoque le danger permanent que constituerait pour la paix la constitution d'une « Alsace-Lorraine à rebours » ; peut-être aussi craint-il déjà que l'équilibre européen soit rompu au profit d'une France trop puissante. Aussi, au milieu de mars 1919, Wilson et Lloyd George proposent-ils à Clemenceau d'assurer la sécurité française d'une façon tout à fait différente : en lui accordant une garantie conjointe anglo-américaine. A la fin d'avril, Clemenceau accepte ; il obtient pourtant une concession supplémentaire : l'occupation de la rive gauche du Rhin par les Alliés, pour une durée maximum de 15 ans à dater de la mise en application du Traité de Paix.

Il convient de s'arrêter un instant sur la signification de cette occupation temporaire ; elle est tout autre chose que le projet français originel. Elle n'est plus, évidemment, une assurance de sécurité permanente. Elle devient une garantie de l'exécution des clauses du Traité : paiement des réparations, d'une part ; limitations imposées à l'armée allemande, de l'autre. Le Traité de Versailles en effet allait limiter à 100 000 hommes les effectifs de l'armée allemande, et lui interdire certains types d'armes. Mais ces restrictions étaient destinées à préparer une limitation générale des armements ; et cela mis à part, quelle valeur durable pouvaient-elles avoir ? outre qu'elles étaient difficiles à contrôler, difficiles à imposer à un pays redevenu souverain, le simple progrès des techniques militaires risquait de les rendre tôt ou tard périmées. Faire de l'occupation une garantie de paiement des réparations présentait un inconvénient qui ne fut aperçu que plus tard : l'intransigeance de la France à exiger le paiement de réparations qui paraissaient fort lourdes, excita bientôt la méfiance de ses partenaires, qui soupçonnèrent les Français de vouloir par ce moyen prolonger l'occupation de la Rhénanie, et revenir ainsi indirectement à leur premier projet de frontière du Rhin.

Or, Clemenceau avait choisi sans équivoque : il avait préféré la garantie anglo-américaine aux garanties territoriales de sécurité. Et lorsque, au mois de mai 1919, le général Mangin, commandant de l'armée française d'occupation, s'entendit avec Dorten, chef d'un mouvement autonomiste rhénan, Clemenceau brisa dans l'œuf cette tentative. Le choix fait par les négociateurs français fut vivement critiqué, dès lors et aussi plus tard ; on reprocha en particulier à Clemenceau d'avoir tout misé sur la garantie américaine, alors qu'il ne pouvait ignorer que la politique étrangère de Wilson se heurtait, aux États-Unis même, à une forte opposition. Mais Clemenceau s'était trop engagé corps et âme dans la guerre pour ne pas mettre au-dessus de tout le maintien de la solidarité et de l'unité morale des Alliés ; il était trop méfiant à l'égard de l'Allemagne pour envisager un accord même avec les Rhénans séparatistes. Ni à ce moment, ni plus tard, il ne put même imaginer une politique de rechange. Et sa psychologie a posé d'un poids très lourd sur toute cette période.

Les premières difficultés de la paix ; Millerand (novembre 1919-janvier 1921)

Mais en cette fin d'année 1919, la paix enfin signée, l'euphorie domine. Le soulagement, la joie de la victoire, la persistance d'une mentalité d' « union sacrée » donnent aux élections législatives de novembre 1919 une physionomie très particulière. Pour la première fois depuis 1885, elles ont lieu au scrutin de liste, qui permet de larges coalitions. On voit alors se constituer des listes de « Bloc National », qui groupent en de nombreux départements les modérés, le Centre, et une bonne partie des radicaux ; seuls les socialistes demeurent partout opposés à la combinaison. Le Bloc National emporte près des trois quarts des sièges. Sans doute, aussitôt après, l'élection qui doit pourvoir au remplacement de Poincaré à la Présidence de la République apporte une note discordante : Clemenceau, le « Père la Victoire », est évincé au profit de l'insignifiant modéré Deschanel ; mais dans ce scrutin parlementaire secret les intrigues et jalousies personnelles peuvent se donner libre cours ; et ce sont elles, beaucoup plus que des doutes sur la valeur du Traité, qui expliquent l'échec de Clemenceau. Il est vrai que ce vieux radical, demeuré très marqué par les passions politiques de sa jeunesse, n'était plus dans l'axe de la majorité nouvelle. C'est pourtant son ancien collaborateur Millerand qui avait largement contribué à définir l'esprit du Bloc National, et c'est Millerand qui domine les débuts de la nouvelle législature : d'abord comme Président du Conseil, puis, à partir de septembre 1920, comme Président de la République, lorsque Deschanel eut été contraint de se retirer pour raison de santé. Millerand est d'ailleurs convaincu — et il le montrera — que le Président de la République doit jouer un rôle politique actif, et il restera jusqu'à la fin de l'année le véritable chef de son ministère qui continuera sans changements notables sous la présidence nominale de Georges Leygues.

Année agitée, comme la précédente d'ailleurs, sur le plan intérieur ; la démobilisation s'accompagne de troubles économiques et sociaux : grève des cheminots P.L.M. en février-mars, grèves généralisées à partir du 1er Mai. Ces alertes seront passagères. Au contraire, la scission du mouvement ouvrier, qui intervient alors, aura des conséquences importantes et durables ; mais elles n'apparaîtront que plus tard.

Si bien que, paradoxalement, c'est la politique étrangère qui constituera la préoccupation dominante du gouvernement, en cette première année de paix — et il en sera de même des suivantes. En 3 ans, 24 conférences internationales se tiendront, montrant bien tout ce que les traités ont d'inachevé, et contribuant à entretenir une atmosphère d'instabilité et d'insécurité.

Presque aussitôt, d'ailleurs, le Traité de Versailles perd une de ses bases essentielles : le 19 mars 1920, il ne réunit pas au Sénat des États-Unis la majorité nécessaire à sa ratification. Du même coup, la France perd la garantie anglo-américaine, contrepartie de sa renonciation à la ligne du Rhin, élément indispensable de sa sécurité. Et par une amère ironie de l'histoire, c'est sur la Société des Nations, à laquelle Clemenceau n'avait consenti que pour complaire à Wilson, que porte l'essentiel des réserves des sénateurs américains.

L'extrême gravité de l'événement — véritable désastre, annulant la résultat le plus clair de la victoire et remettant en cause la paix — n'apparaîtra que plus tard. Le gouvernement français ne réagit pas, n'invoque pas la non-ratification américaine pour reprendre sa liberté d'action vis-à-vis de l'Allemagne. C'est que le problème ne semble pas urgent ; pour le moment, en présence d'une Allemagne en voie de désarmement et en proie aux difficultés intérieures, la France, unie et disposant de la première armée du monde, paraît la plus forte. Cette illusion, qui influera si fortement sur la politique anglaise, est partagée par les Français. Aussi n'est-ce pas le problème de la sécurité, mais celui des réparations, qui retient la plus grande attention. Sans doute, à la suite du putsch de Kapp (mars 1920), les troupes allemandes ayant pénétré dans la zone démilitarisée pour rétablir l'ordre, la France répliqua-t-elle en occupant Francfort et Darmstadt ; mais elle évacua ces villes peu après. Le grand événement diplomatique de l'année fut la Conférence de Spa (5-16 juillet 1920) où pour la première fois les Alliés discutèrent avec des représentants allemands. Si cette Conférence n'aboutit pas au règlement des paiements, elle en fixa au moins la répartition entre les Alliés : 52 p. 100 pour la France, 22 p. 100 pour l'Angleterre, 10 p. 100 pour l'Italie, 8 p. 100 pour la Belgique (mais avec certains droits de priorité). La Belgique cependant était aussi victime de la disparition de la garantie anglo-américaine ; et ne pouvant revenir à sa neutralité violée en 1914, elle se résolut à signer un traité d'alliance militaire avec la France (septembre 1920).

Mais les bouleversements de l'Europe Orientale, pendant ce temps, aboutissaient à une crise grave, lourde de conséquences à long terme, et soumettant à une épreuve immédiate la solidarité de fait franco-britannique. Les frontières de la Pologne n'étaient pas plus fixées par les traités [1] que par la géographie ou par l'histoire. Dans la Russie en proie à la guerre civile, l'Ukraine — qui a un long passé commun avec la Pologne — échappe longtemps à l'autorité du pouvoir central bolchevik. Aussi, en avril 1920, les Polonais pénètrent-ils en Ukraine pour donner la main au chef révolté Petliura. Mal leur en prend ; l'Armée Rouge réagit, et son offensive la mène en juillet aux portes de Varsovie. L'Angleterre alors — dont le Premier Ministre Lloyd George a toujours témoigné vis-à-vis de la Pologne une grande méfiance — propose sa médiation, et conseille aux Polonais de faire des concessions. Les tendances de Millerand sont très différentes ; il est poussé, non seulement par l'amitié franco-polonaise traditionnelle, mais aussi par la crainte de ce que pourrait produire un vide entre l'Allemagne toujours menaçante et la Russie, en laquelle il voit une puissance de subversion. Il encourage les Polonais, leur envoie comme conseiller militaire le général Weygand. Et en août, les Polonais remportent une brillante victoire sur l'Armée Rouge trop éloignée de ses bases. Ils y gagneront de fixer leurs frontières très loin à l'Est, en pays ruthène.

Cet épisode polonais a de grandes conséquences ; il va fixer pour longtemps la politique de la France en Europe Orientale. Et dans l'immédiat, il fournit aux Anglais l'occasion de faire porter au « militarisme français (que certains vont jusqu'à accuser d'annexionnisme) la responsabilité du désordre politique et surtout économique qui continue à troubler une grande partie de l'Europe.

---

1. La « ligne Curzon » n'avait pas valeur définitive.

L'expérience Briand (janvier 1921-janvier 1922)

Le ministère Georges Leygues n'a pas une autorité autonome suffisante pour s'imposer longtemps au Parlement. Il est renversé, et le 16 janvier 1921 Aristide Briand constitue son septième ministère ; celui-ci est un peu moins « à gauche » que le précédent, si l'on tient compte des étiquettes traditionnelles ; mais ce genre de dosage politique n'a pas encore repris une grande signification. Les conflits sociaux s'apaisant, au moins en apparence, le gouvernement va se consacrer à peu près entièrement à la politique extérieure.

Celle-ci, plus que jamais, accapare l'attention. L'heure approche de fixer le montant des réparations. En mars, à Londres, le Dr Simons présente au nom de l'Allemagne des propositions si dérisoires, et de façon si maladroite, que le front franco-anglais se reforme. Briand obtient l'accord de Lloyd George pour l'occupation des ports fluviaux de Dusseldorf, Duisbourg et Ruhrort, afin d'effectuer le contrôle des douanes et du commerce extérieur de la Ruhr. C'est donc la politique de fermeté que Briand pratique d'abord avec succès.

Le 5 mai 1921, une conférence réunie à Londres publie enfin, sous le nom d' « état des paiements », l'estimation officielle des réparations dues par l'Allemagne : 132 milliards de marks-or : c'est beaucoup moins qu'on ne l'escomptait en France, beaucoup plus que ce que les Allemands croient pouvoir payer. Cependant, devant la cohésion et la fermeté des Alliés, l'Allemagne paraît s'incliner : le ministère Fehrenbach, qui professait une attitude intransigeante, cède la place à une combinaison Wirth-Rathenau, qui affirme son intention de pratiquer une « politique d'exécution » du traité ; il est vrai que Wirth se justifie vis-à-vis de ses compatriotes en leur disant : « montrons toute la bonne volonté possible ; ainsi les Alliés se rendront compte par eux-mêmes que le Traité est inexécutable ». Cependant Rathenau ébauche avec le ministre français Loucheur une politique de réparation en nature.

En même temps, la question de Haute-Silésie mettait à nouveau à rude épreuve l'entente franco-britannique. Cette région riche en houille, revendiquée à la fois par l'Allemagne et la Pologne, devait régler elle-même son sort par plébiscite. Le vote du 20 mars 1921 donna une majorité globale à l'Allemagne, mais certains districts s'affirmaient polonais. L'Angleterre voulait attribuer à l'Allemagne l'ensemble du territoire contesté, les Français au contraire soutenaient les Polonais qui réclamaient un partage. Allemands et Polonais en vinrent aux mains. Briand envoya alors en Silésie deux divisions françaises, et le problème, confié à la Société des Nations, fut résolu en octobre 1921 par un partage. Là encore, Briand avait fait preuve de fermeté.

Mais dans l'été 1921, devant la bonne volonté allemande et la pression anglaise, Briand accepte la levée des sanctions économiques dont l'occupation de Dusseldorf, Duisbourg et Ruhrort constituait le moyen (ces trois villes elles-mêmes seront évacuées en 1925). Et en juillet, le Président des États-Unis Harding ayant lancé des invitations à une conférence générale sur le désarmement à Washington, la France accepte de s'y faire représenter.

La diplomatie de Briand commence alors à faire l'objet en France de vives critiques, notamment de la part d'André Tardieu qui avait été le principal collaborateur de Clemenceau lors de la Conférence de la Paix. Ces divergences s'expliquent sans peine par des rivalités personnelles et des oppositions de tempéraments Il est plus difficile d'y apercevoir un conflit plus profond entre deux politiques bien définies et nettement opposées. Après tout, en s'efforçant de maintenir en dépit de toutes les difficultés l'entente franco-anglaise, en appliquant le Traité de Versailles sans chercher à le déborder, Briand ne faisait que se conformer au choix opéré par Clemenceau en 1919, et que Millerand lui-même n'avait pas révoqué en 1920. Clemenceau lui-même, qui critiqua si âprement ses successeurs, ne précisa jamais ce qu'il eût fallu faire.

Mais Briand sent déjà que, pour maintenir l'accord interallié, gage à ses yeux de la sécurité de la France, il faudra faire sur bien des points, et notamment en matière de réparations, des concessions auxquelles l'opinion française n'est pas préparée. Aussi, pour les faire admettre, a-t-il recours à un procédé éprouvé de la Troisième République, et employé notamment par Waldeck-Rousseau en 1900 : sonner le ralliement politique de la gauche. C'est ce qu'il n'hésite pas à faire, lors du grand débat parlementaire d'octobre 1921, lui que son passé récent désignait plutôt comme un homme du Centre, voire un transfuge de la gauche. Mais c'est la première fois que, aux yeux d'une opinion sans nuances, le désir de paix se trouve séparé de celui de conserver les fruits de la victoire, et considéré comme caractéristique de la gauche. Cette orientation nouvelle sera de grande conséquence.

Briand se rendit personnellement à Washington en novembre, pour l'ouverture de la conférence — pour repartir quelques jours après, avant qu'eût commencé la discussion sur ce qui se révéla l'objet réel de la réunion : les armements navals et les questions du Pacifique. Cette attitude déconcerta même ses amis. Elle paraît s'expliquer pourtant à la lecture des discours qu'il y prononça, profitant de cette tribune pour réfuter les accusations de « militarisme » portées contre la France, et sondant en même temps les intentions des États-Unis à qui il laissa entendre que la France pourrait, en échange de leur garantie, envisager le désarmement terrestre. L'allusion n'ayant pas été relevée, Briand repartit.

Il devait d'ailleurs, sans désemparer, transporter son activité à la Conférence de Cannes. Lloyd George, de plus en plus préoccupé par le marasme économique, en rendait responsables, comme beaucoup de ses compatriotes [1], le désarroi politique de l'Europe issue des traités, et les réparations. Précisément le ministre allemand Rathenau, après avoir conclu avec son homologue français Loucheur un accord sur les réparations en nature, demandait un moratoire sur les paiements en espèces. Lloyd George proposa de réunir une conférence sur la reconstruction économique de l'Europe, et d'y inviter l'Allemagne et la Russie des Soviets, et ses projets aboutissaient à reprendre la question des réparations sur de nouvelles bases. Dans la pensée de Briand, les priorités étaient tout autres : après une période d'incertitude,

1. C'est alors que paraît le pamphlet fameux de J. M. Keynes sur « Les conséquences économiques de la paix ».

il vient de se rallier aux conceptions de son principal collaborateur Philippe Berthelot, consistant à appuyer la Petite Entente (Tchécoslovaquie, Roumanie, Yougoslavie) qui s'est constituée contre une restauration des Habsbourg en Hongrie. Briand envisage alors une série de traités de garantie, groupant Angleterre, France et Pays d'Europe Orientale, et qui maintiendraient la stabilité et la sécurité. Était-il possible de trouver un terrain d'entente entre ces conceptions fort différentes, mais non directement opposées ? Lloyd George, en tout cas, pour faire aboutir sa conférence économique, était prêt à offrir un pacte garantissant les frontières françaises.

La tentative cette fois ne put être poussée à fond. En effet, de Paris, le Président de la République Millerand, appuyé notamment sur la majorité du Conseil des Ministres et sur la Commission des Affaires Étrangères du Sénat, bombardait Briand de télégrammes lui enjoignant non seulement d'être ferme sur les Réparations, mais d'exiger la présence des États-Unis à la future conférence économique, et de n'y pas admettre la Russie soviétique si celle-ci ne renonçait pas à pratiquer la subversion dans les autres pays. Finalement, Briand revint de Cannes, et après s'être justifié au Conseil des Ministres et à la tribune de la Chambre, démissionna sans attendre un vote. Pour ne pas provoquer une crise constitutionnelle, laissa-t-il entendre plus tard. Mais bien plutôt ne préféra-t-il pas, comme il l'avait déjà fait autrefois, s'effacer en attendant que l'opinion fut mûre pour accepter ses idées ?

Poincaré et la Ruhr (janvier 1922-mars 1924)

Il était déjà admis dans les milieux politiques que l'antithèse à la politique de conciliation de Briand était constituée par la fermeté de Poincaré. Aussi ce dernier fut-il tout naturellement chargé de constituer le ministère. Poincaré avait été, lors de la Conférence de la Paix, partisan des thèses de Foch, c'est-à-dire soucieux de faire du Rhin la ligne de défense française. Mais ensuite, dès qu'il avait quitté la Présidence de la République, il avait accepté la présidence de la Commission des Réparations ; il n'est pas téméraire d'en conclure que, pour lui comme pour la plupart de ses contemporains, le problème essentiel et le plus urgent était celui des réparations.

Poincaré pourtant continua la négociation sur la proposition Lloyd George de pacte de garantie, mais en posant des conditions précises : le pacte devrait s'accompagner d'une convention militaire ; il devrait couvrir, non seulement les frontières françaises, mais la zone démilitarisée rhénane ; enfin il devrait s'étendre aux frontières orientales, autrement dit couvrir aussi la Pologne et la Tchécoslovaquie. Les Anglais n'étant pas disposés à souscrire à ces conditions, et surtout à la dernière, la négociation n'aboutit pas. De même la conférence de Gênes, qui avait été mise sur pied à Cannes en vue du rétablissement du commerce international, se réunit en avril pour faire apparaître aussitôt l'incompatibilité entre les vues des différents participants. Mais le 16 avril, à Rapallo, l'Allemagne et la Russie des Soviets signaient un accord séparé. Le rapprochement germano-soviétique, tant redouté par Lloyd George, devenait une réalité.

Mais la France se préoccupe surtout de ce qui se passe en Allemagne, où la situation ne cesse de se dégrader. Les partisans de la « politique d'exécution » disparaissent : Rathenau est assassiné le 24 juin 1922, Wirth doit quitter le pouvoir en novembre. Surtout, la dépréciation du mark prend les proportions d'un cataclysme sans précédent : le mark, qui vaut le cinquantième de sa valeur d'avant-guerre en janvier 1922, n'en vaut plus que le millième en octobre. Et l'idée se répand en France que cet effondrement est voulu, que l'Allemagne organise la ruine de sa monnaie pour ne pas payer les réparations [1]. Précisément, en juillet 1922, le gouvernement allemand demande un nouveau moratoire. Poincaré répond en posant comme condition que les mines

---

1. La réalité est naturellement plus complexe, mais cette idée n'est pas entièrement fausse : il est certain que l'état d'esprit des Allemands vis-à-vis des réparations a joué un rôle dans les phénomènes monétaires, qui sont toujours pour une part psychologiques.

de la Ruhr soient remises en gage aux Alliés. Les Anglais s'opposent à cette mesure, et il faudra encore près de six mois de discussions avant que Poincaré se décide, en janvier 1923, à « prendre le gage » de la Ruhr — avec l'appui des membres belge et italien de la Commission des Réparations, mais contre l'avis anglais.

Ces faits, rapprochés de divers témoignages, permettent de comprendre dans quel esprit Poincaré a lancé l'entreprise de la Ruhr : il ne l'a effectuée qu'à contre-cœur, une année pleine après être parvenu au pouvoir (ce qui est beaucoup pour un Président du Conseil français), et uniquement parce qu'il est persuadé qu'il n'y avait plus d'autre moyen pour la France d'obtenir des réparations. La très large majorité par laquelle la Chambre approuva son initiative (452 voix contre 72) indique bien que cette conviction était largement répandue. Mais Poincaré n'avait sans doute ni l'intention de se lancer dans une opération politique de grande envergure, ni même l'idée du bouleversement qui allait s'ensuivre.

Le 11 janvier 1923, les troupes françaises pénètrent dans la Ruhr pour appuyer une « mission interalliée de contrôle des usines et des mines » (MICUM). Le gouvernement allemand alors — sans doute appuyé par l'ambassadeur anglais à Berlin, d'Abernon — se lance dans une politique de catastrophe : il ordonne aux populations occupées la « résistance passive » et la grève générale, ce qui implique naturellement qu'il paie lui-même les ouvriers de la Ruhr pour ne pas travailler. Étant donné l'importance de la Ruhr, ces mesures doivent conduire à bref délai à l'effondrement, non seulement de la monnaie, mais de toute l'économie allemande. Sans doute les dirigeants allemands espèrent-ils que la pression anglaise obligera bientôt la France à reculer ; mais l'Angleterre ne veut pas, et sans doute ne peut pas, s'engager à fond contre la France ; elle laisse faire, se contentant de désapprouver. De leur côté, les techniciens et ouvriers français envoyés dans la Ruhr font des miracles : ils parviennent à remettre en route les chemins de fer ; on crée pour les besoins locaux un « franc-régie » dont la stabilité contraste avec la chute vertigineuse du mark. Et peu à peu dans la Ruhr les Allemands reprennent le travail ; la zone occupée risque de devenir un îlot de vie normale dans une Allemagne ruinée et paralysée.

Alors l'Allemagne cède ; le 12 août, le gouvernement Cuno, responsable de la résistance passive, cède la place à un gouvernement Stresemann, et le 26 septembre la résistance passive est officiellement abandonnée. C'est une nouvelle débâcle, comparable à celle de la fin de 1918 ; et dans le désarroi, les tentatives allemandes se multiplient pour reprendre contact avec la France. Certaines émanent des milieux d'affaires ; Poincaré se refuse à en entendre parler. D'autres viennent des autonomistes rhénans, qui, d'abord réticents à l'égard de l'occupation de la Ruhr, ne tardent pas à y voir une nouvelle chance de réaliser leur programme ; Poincaré les décourage d'abord, puis, à partir de la fin d'août, leur laisse espérer un éventuel soutien. Mais en même temps il répond avec empressement aux ouvertures gouvernementales. A la fin d'octobre, il accepte l'enquête internationale proposée par l'Angleterre sur la capacité de paiement de l'Allemagne, et au même moment, Stresemann s'étant déclaré prêt à reprendre les livraisons de charbon dans le cadre du Traité de Versailles, Poincaré autorise les pourparlers.

Néanmoins, en cet automne 1923, Poincaré paraît bien jouer sur deux tableaux. Le 30 novembre il accepte la réunion de deux comités internationaux, sur les finances allemandes et sur les réparations. Mais quelques jours auparavant il a fait allusion à la Chambre au développement que pourraient prendre les mouvements séparatistes, et c'est le 22 décembre seulement qu'il décourage ceux-ci de façon formelle et définitive. Tout indique pourtant qu'il préfère à ces tentatives révolutionnaires des négociations classiques avec l'Angleterre et l'Allemagne ; mais encore faut-il que le gouvernement allemand, et l'Allemagne elle-même, présentent une consistance suffisante pour qu'on puisse traiter avec eux : or en novembre 1923 le ministère Stresemann démissionne à deux reprises faute de trouver une majorité ; c'est le 30 novembre seulement que se constitue un ministère Marx-Stresemann qui sera durable. Et le 9 novembre, le putsch de Hitler à Munich a pu sembler le prélude d'une désintégration de l'Allemagne. Ainsi peut s'expliquer la période d'hésitation de Poincaré.

Quoi qu'il en soit, l'épisode de la Ruhr représente un tournant majeur de la politique internationale, et certains y ont vu la grande occasion manquée, la dernière chance pour la France de préserver sa victoire de 1918. Mais quelles sont, au juste, les chances que Poincaré a manquées ?

Selon une première thèse, la France aurait été alors en mesure de conclure avec les grandes affaires allemandes des accords, incluant même des prises de participations, et lui permettant à la fois un rapprochement moral, un contrôle de l'économie allemande et une participation à ses bénéfices. Peut-être aurait-on trouvé dans cette voie — prolongeant les accords Loucheur-Rathenau — une solution de la question des réparations. Mais cela aurait-il suffi pour faire disparaître en Allemagne l'aspiration à la revanche ? Et dans une sorte de consortium franco-allemand, l'Allemagne n'aurait-elle pas pris rapidement la prépondérance, en raison de son poids économique ?

Selon une seconde thèse, l'Allemagne s'est trouvée, en 1923, au bord de la dissociation : c'était l'occasion, en appuyant à fond le mouvement rhénan, de ressaisir la ligne du Rhin, remplissant ainsi la condition fondamentale de sécurité définie par Foch en 1919. Mais en quoi consistait donc le — ou plutôt les — mouvements rhénans ? Il paraît certain qu'il y a eu, en Rhénanie, après la défaite de 1918, une assez forte aspiration à l'autonomie, c'est-à-dire à la séparation d'avec l'État de Prusse (auquel les Rhénans avaient été rattachés arbitrairement en 1815) ; mais, sauf dans certaines périodes de crise aiguë, bien peu sont favorables au séparatisme, c'est-à-dire à la séparation d'avec l'Allemagne elle-même (ce qui était pourtant la condition posée par Foch). En particulier, le Centre catholique, qui est politiquement dominant en Rhénanie et que représente notamment Konrad Adenauer, bourgmestre de Cologne, se séparerait de Berlin si la capitale était aux mains des bolcheviks ; mais si la République parlementaire se consolide en Allemagne, la politique catholique vise à y maintenir la Rhénanie, indispensable au parti du Centre si celui-ci veut être le pivot du régime. Si, profitant du désarroi de 1923, la France avait voulu appuyer à fond un mouvement séparatiste, elle pouvait le faire dans le sud de la Rhénanie, qu'elle occupait ; mais non dans le Nord, qui, avec la capitale, Cologne, était zone d'occupation anglaise. Et si l'on se bornait à constituer un État de Rhénanie du Sud (comme il en fut question), cet État eût-il suffi à garantir la sécurité stratégique ?

La voie choisie — ou plutôt acceptée — par Poincaré, internationalisait le problème des réparations, privant ainsi la France, pour l'avenir, de toute possibilité d'action unilatérale et de « prise de gages ». Le comité d'experts, présidé par l'Américain Dawes, se réunit à Paris de janvier à avril 1924, et si ses conclusions ne furent définitivement acceptées par les gouvernements qu'au mois d'août, on peut dire pourtant que Poincaré avait rendu cette acceptation inévitable. Le Plan Dawes prévoyait cinq ans de paiements d'annuités croissantes pour les réparations dont il ne fixait pas le montant global — cela pour ne pas rendre trop apparente la réduction du total déjà acquise en fait. Surtout les gouvernements sont dessaisis du problème par la création d'un Agent Général des Répartitions ; enfin — et c'est la concession allemande — l'exécution sera garantie par la remise d'obligations gagées sur les chemins de fer et l'industrie de l'Allemagne.

Il est évident que la France consentait, après avoir gagné l'épreuve de force de la Ruhr, des concessions qu'aucun gouvernement français n'aurait pu faire admettre auparavant. A ceux qui lui reprochaient cet échec ou cette reculade, Poincaré a répondu plus tard qu'il fallait se reporter à la situation de 1922 : si la France n'avait pas fait l'opération de la Ruhr, il n'y aurait plus eu de réparations du tout. Quoi qu'il en soit, après cette convulsion suprême, le problème des réparations cesse de dominer la vie politique française.

L'œuvre financière du Bloc National

Pour apprécier correctement cette œuvre si discutée, il faudrait pouvoir établir d'abord un bilan économique précis pour

1919. A ce moment, la vie économique est, non pas certes arrêtée, mais très ralentie : tandis qu'un grand nombre de producteurs sont encore mobilisés, l'industrie, qui cesse d'être accaparée par les tâches de guerre, doit se reconvertir aux activités de paix, ce qui nécessite toujours d'assez longs délais. N'oublions pas d'ailleurs que la principale région industrielle française, celle du Nord, a été méthodiquement dévastée, et doit d'abord être remise en état de fonctionner. Précisément, la loi du 17 avril 1919 prévoit le remboursement des dommages de guerre sur la base de la valeur de remplacement, ce qui est la disposition la plus généreuse possible. Il faut donc faire face à des charges exceptionnellement lourdes résultant de la guerre, avec des ressources exceptionnellement réduites. Rien d'étonnant donc à ce que les premiers budgets présentent des déficits considérables. Que ceux-ci soient portés au « budget spécial des dépenses recouvrables », c'est-à-dire auquel on espère faire face grâce aux versements allemands des réparations, c'est un procédé qui a peut-être incité à une certaine facilité, mais n'a rien changé à l'essentiel. De toute façon, l'État ne pouvait guère éviter d'aggraver une dette publique déjà trop lourde. En 1919, pour moins de 12 milliards de ressources budgétaires, l'État emprunte plus de 31 milliards en France, plus de 11 milliards à l'étranger, et doit en outre avoir recours pour plus de 8 milliards aux avances bancaires [1]. C'est là 50 milliards de dettes entièrement à court terme, qui s'ajoutent aux dettes de guerre proprement dites : 23 milliards de bons à court terme, 72 milliards de dette consolidée, 17 milliards d'avances de la Banque de France. On peut dire qu'avant les élections de 1919, la partie la plus dangereuse du « trou » financier est creusé.

Durant les années suivantes, les dettes extérieures n'augmenteront pas : elles demeureront fixées à un total de 35 milliards.

---

1. Il est rare, en matière de finances publiques, de trouver des chiffres concordants provenant de sources différentes. Aussi toutes les indications chiffrées qui vont suivre sont-elles extraites, sauf s'il en est spécifié autrement, de G. LACHAPELLE, *Les finances publiques après la guerre* (Paris, 1924).

Et contrairement à ce qu'on dit souvent, la dette flottante (bons du Trésor et bons de la Défense Nationale à quelques mois d'échéance) n'augmentera pas non plus : elle se montera à 60 ou 65 milliards (ou 90 si on y ajoute les avances de la Banque de France) avec plutôt une légère tendance à la diminution. C'est la dette consolidée (perpétuelle ou à long terme) qui assurera le financement des déficits budgétaires, passant de 72 milliards au 31 décembre 1918, à 160 milliards à fin 1922 (on retrouve le même total, quoique réparti différemment, à fin 1923).

Car tous les budgets de cette période seront en déficit ; pourtant, à partir de 1920, les gouvernements successifs opéreront un vigoureux effort de redressement : d'abord par une compression massive des dépenses ; et particulièrement des dépenses militaires. Mais aussi par un effort fiscal énergique : les recettes budgétaires passent de 11,5 milliards en 1919 à près de 20 dès 1920, et continueront à augmenter les années suivantes. L'impôt général sur le revenu, adopté avec tant de difficulté en 1914, ne fournira qu'une part assez modeste de ces ressources : 500 millions en 1919, 2 milliards en 1923. Et l'agriculture se trouvera, en fait, presque totalement exemptée (en 1923, moins de 500 millions d'impôts sur la propriété foncière, 30 millions sur les bénéfices agricoles !). Pratiquement, presque tout le poids de l'effort financier retombera sur le commerce et les échanges : les impôts sur les valeurs mobilières passeront de 450 millions en 1919 à 1 700 en 1923, et la cédule des bénéfices commerciaux de 200 à 1 500 aux mêmes dates. Mais surtout, la taxe sur le chiffre d'affaires, introduite en 1920, produira près d'un milliard dès la première année, et 3 milliards en 1923. Ce nouvel impôt, très productif et facile à percevoir, apparaît comme la providence des financiers dans l'embarras ; mais les commerçants qui le paient peuvent dans certains cas l'incorporer dans leurs prix, et le « répercuter » ainsi sur le consommateur. On l'accusera d'être un facteur de vie chère, et il fera l'objet à plusieurs reprises de vifs débats politiques.

Quoi qu'il en soit, en 1924, il ne restait plus à dépenser, pour reconstituer les régions libérées, que 30 milliards sur 100 ; sur 23 000 usines détruites, 20 000 fonctionnaient à nouveau ;

600 000 maisons sur 750 000 étaient reconstruites. Avec l'activité économique rétablie, l'équilibre budgétaire redevenait possible. Le bilan était donc dans l'ensemble largement positif. Il comportait pourtant un élément éventuellement dangereux : l'État demeurait à la merci du renouvellement régulier de quelque 60 milliards de bons à court terme — chiffre largement supérieur au total du budget annuel. La France avait déjà vécu ainsi pendant trois ans. De quoi dépendait donc ce renouvellement ? De la confiance des porteurs de bons, et nous aurons longuement à revenir sur ce point. Mais aussi de circonstances économiques. Pendant plusieurs années, du fait des destructions, des lenteurs de la reconversion, et aussi de la crise mondiale de 1921, la France demeure sensiblement au-dessous du niveau d'activité normal. L'argent, qui n'a jamais été plus abondant — du fait de l'inflation de guerre — ne trouvant donc pas suffisamment d'emplois dans l'économie, s'investit naturellement en bons du Trésor et de la Défense. Les épargnants souscrivent aussi aux emprunts d'État d'autant plus volontiers qu'ils n'ont pas encore pris conscience de la dépréciation permanente du franc. Mais à partir de 1922, l'activité économique reprend, et du même coup les prix montent. L'indice officiel des prix de détail (sur la base 1938 = 100), qui était à 15 en 1914, à 38 en 1919, à 53 en 1920, était tombé à 46 en 1921 et 45 en 1922 ; il se relève à 49 en 1923, à 56 en 1924. Les bons alors ne se renouvellent qu'à des conditions plus onéreuses. D'où, dès 1923, difficultés financières, crise de trésorerie, et au printemps de 1924 première crise de change : le dollar et la livre sterling montent par rapport au franc. On incrimine alors la spéculation étrangère, notamment allemande et anglaise, qui joue à la baisse du franc pour faire céder la France dans l'affaire de la Ruhr. Mais la spéculation ne peut réussir — et en général même elle ne se lance pas à fond — si elle ne trouve au départ des circonstances favorables. En fait, l'alerte du début de 1924 n'est qu'un premier avertissement : les conditions économiques ayant changé, il faut changer de politique financière. De fait, le gouvernement Poincaré demande au Parlement de voter des économies et de nouvelles charges fiscales. Mais un redressement financier est toujours difficile à réaliser

à la veille d'élections générales. C'est à la nouvelle Chambre qu'il appartiendra de résoudre le problème.

L'apaisement religieux

La guerre elle-même avait profondément transformé l'attitude moyenne des Français vis-à-vis de l'Église catholique. Du fait même que la France fut, de tous les belligérants, la plus complètement mobilisée, l'Église de France fut largement associée aux souffrances et aux dangers de ses fidèles. Sur près de 79 000 prêtres et religieux mobilisés au total, la France en comptait 45 000, dont 5 000 ne revinrent pas. Aumôniers, brancardiers, infirmiers, ils prêtèrent à tous les soldats — tout comme les pasteurs et ministres des autres cultes — un secours toujours apprécié de ceux qui sont au danger.

Il n'est donc pas surprenant que le Bloc National — qui devait être le grand vainqueur des élections de 1919 — ait groupé dans ses listes des catholiques et des anticléricaux d'avant-guerre, et qu'il ait inséré dans son programme cette formule de compromis : « Le fait de la laïcité doit se concilier avec les libertés et les droits de tous les citoyens à quelque croyance qu'ils appartiennent, et ainsi sera assurée dans notre pays la paix religieuse ». Et l'échec de Clemenceau à la Présidence de la République fut certainement dû pour une bonne part au fait que le vieux radical n'était pas sur ce point en harmonie avec la nouvelle Chambre.

A ce besoin de réconciliation morale allait s'ajouter un élément d'opportunité politique. Pendant la guerre, les Alliés avaient pu mesurer les inconvénients résultant de ce que seule parmi eux l'Angleterre protestante était représentée au Vatican ; ni la France séparée, ni l'Italie officielle excommuniée, ni la Russie orthodoxe n'étaient en mesure de faire échec, auprès du Saint-Siège, au jeu diplomatique de l'Autriche, grande puissance catholique, ou de l'Allemagne, puissance concordataire où le Centre catholique était un élément important de la majorité gouvernementale. Aussi avait-on pu reprocher au Pape Benoit XV de faire en certaines circonstances le jeu des Empires Centraux. L'application des Traités allait poser en outre des problèmes, comme celui des missions du Levant, qu'on ne pouvait guère résoudre en dehors de la Papauté. Ainsi se posa bientôt le problème du rétablissement des relations diplomatiques entre la France et le Vatican. Et celui qui fit le plus pour sa solution fut sans doute Aristide Briand qui, en politique intérieure, fut un des premiers à faire appel à un renouveau de la gauche, mais qui en matière de politique religieuse se soucia toujours avant tout d'assurer à la diplomatie française le maximum de possibilités.

Ce fut pourtant le ministère Millerand qui envoya au Vatican, en mars 1920, le chargé d'affaires Doulcet, chargé de la négociation préalable. Au mois de mai 1920, la canonisation de Jeanne d'Arc créait l'atmosphère la plus favorable, en unissant symboliquement la foi catholique et le patriotisme français. Le 30 novembre 1920, la Chambre vote les crédits de l'ambassade au Vatican, et, sans attendre le vote du Sénat qui n'interviendra qu'un an plus tard, Briand envoie à Rome comme ambassadeur, en mai 1921, Jonnart, qui n'est pas un simple diplomate, mais un membre notable du personnel gouvernemental républicain.

Le problème le plus important qu'il s'agit dès lors de régler est celui des cultuelles ; ces associations, prévues par la loi de 1905 pour recevoir et gérer les biens nécessaires à l'exercice du culte, avaient été interdites par Pie X, comme non conformes aux règles canoniques ; depuis, le culte catholique n'avait pu continuer à être exercé en France qu'en vertu d'un état de fait, et grâce aussi à la jurisprudence du Conseil d'État qui, au prix parfois d'acrobaties juridiques, avait toujours fait prévaloir les droits de la hiérarchie ecclésiastique. En présence de cette jurisprudence et grâce au rétablissement des relations diplomatiques, la Curie romaine revient sur l'attitude intransigeante adoptée au temps de Pie X ; elle élabore des statuts-types d'associations « diocésaines », qui reçoivent l'avis favorable du Conseil d'État, en décembre 1923, et sont approuvées par l'Encyclique « Maximam gravissimamque » de juin 1924. La reprise des relations diplomatiques entre la France et le Vatican n'a d'ailleurs pas pour seul résultat la solution de ce problème intérieur irritant ; sans remettre en cause la séparation de l'Église et de l'État, le Saint-Siège accorde au gouvernement français le droit de faire discrètement, le cas échéant, des objections d'ordre politique aux nominations d'évêques en France.

Ces résultats ont été obtenus grâce à la rencontre de deux bonnes volontés : celle de la Papauté de Benoit XV et de Pie XI, celle du personnel gouvernemental républicain du Bloc National. Il ne faut pas croire pourtant qu'ils furent acquis sans difficulté, mais, chose curieuse, les difficultés vinrent d'une partie des catholiques français. Et d'abord de la majorité des évêques ; alors que Pie X, lors de la loi de Séparation, avait imposé l'intransigeance à un épiscopat français enclin à la conciliation, les évêques français des années 1920, qui doivent souvent leur nomination à Pie X, demeurent souvent portés à l'intransigeance. Beaucoup ne sont pas encore résignés aux lois laïques ; à tout le moins ils voudraient obtenir la répartition proportionnelle, entre école publique et école confessionnelle, des crédits budgétaires de l'enseignement. Mais la majorité républicaine est hostile à cette formule. L'Assemblée des Cardinaux et Archevêques de France demeure dominée par les intransigeants, prêts à donner des directives politiques de combat. L'apaisement religieux, qui correspond pourtant à une évolution profonde des esprits, ne signifie pas la fin de l'agitation et des polémiques ; mais en 1924, avec le rétablissement de l'ambassade au Vatican et l'acceptation des associations diocésaines, s'est établi un équilibre de fait qui ne sera plus modifié.

CHAPITRE 3

RETOUR A LA NORMALE ?

1924-1932

La nouvelle configuration des forces politiques

Si l'on met à part les élections de 1919, qui portent la marque de circonstances exceptionnelles, le corps électoral retrouve la stabilité d'ensemble qui le caractérisait déjà avant guerre ; et cela en dépit d'un nouveau changement de mode de scrutin : les élections de 1924 comme celles de 1919 ont lieu au scrutin de liste, théoriquement proportionnel mais pratiquement majoritaire ; au contraire c'est au scrutin uninominal que s'effectueront les élections de 1928 et 1932.

Et pourtant la répartition des forces n'est plus la même. Sans doute les socialistes, qui avaient une centaine d'élus [1] en 1910 et 1914, en retrouvent autant en 1924 et 1928, et montent jusqu'à

---

1. C'est à dessein que nous nous bornons aux chiffres ronds. En effet, socialistes et communistes mis à part, les partis n'ont pas une constitution assez rigide pour que leur nombre d'élus ne puisse varier de quelques unités selon les sources utilisées. Surtout vers le Centre et la Droite, les groupes et les étiquettes deviennent trop changeants pour qu'il soit utile de les suivre dans le détail. Enfin les élections partielles ou les évolutions individuelles introduisent des changements en cours de législature.

130 en 1932. Mais le grand changement intéresse les radicaux et ceux des petits groupes voisins qui n'en sont pas séparables politiquement. Ils formaient un bloc de 250 élus dans les Chambres de 1906 et 1910, plus de 200 encore en 1914 ; ils se retrouvent 170 en 1924 et 1928, remontent à près de 200 en 1932. Néanmoins ils ne regagneront jamais leur prépondérance des deux dernières législatures d'avant-guerre ; ils constituent toujours le pivot du régime, mais ils ne le dominent plus.

On peut s'interroger sur les causes de ce déclin relatif des radicaux ; il est le signe, pour une part, que des problèmes entièrement nouveaux se posent, déterminant parmi les citoyens de nouveaux alignements politiques — problèmes économiques et financiers, attitude d'ensemble vis-à-vis de la politique extérieure et de la sécurité. On peut penser aussi que, les radicaux ayant réalisé leur programme fondamental de laïcisation, un certain nombre d'entre eux sont devenus tout simplement conservateurs de l'ordre qu'ils avaient eux-mêmes établi.

Si l'on peut discuter des causes du déclin relatif des radicaux, les conséquences sont en revanche très claires, et fort importantes. Depuis 1902, les radicaux avaient pu occuper le pouvoir à peu près sans interruption, sans avoir depuis 1905 d'autre appui que celui des petits groupes voisins. Désormais, aucun ministère ne pourra vivre sans une majorité de coalition, où les partenaires des radicaux pèseront d'un grand poids. En particulier, aucune majorité de gauche ne sera possible sans une entente étroite et durable entre radicaux et socialistes.

Quelles sont les chances de cette entente ? Le Congrès d'Amsterdam de l'Internationale socialiste, en 1904, avait condamné toute tentative de rattachement aux « partis bourgeois ». Mais la guerre de 1914 avait disloqué l'Internationale et les socialistes avaient participé aux premiers ministères de l'Union Sacrée. La fin de la guerre et la Révolution russe avaient amené un trouble profond dans le mouvement socialiste, et au Congrès de Tours, en décembre 1920, une scission s'était produite. D'un côté, ceux qui adhéraient à la IIIe Internationale que constituaient les bolcheviks russes, allaient former le Parti Communiste français. De l'autre, ceux — minoritaires au début — qui restaient fidèles à la « vieille maison », gardaient le nom de socialistes S.F.I.O. [1]. Ce sont ces derniers qui retrouveront dès 1924 l'essentiel des positions électorales des socialistes d'avant-guerre, les communistes devant se contenter d'une représentation réduite : 26 élus en 1924, 12 en 1928 ; 24 en 1932 si l'on additionne « communistes » et « socialistes communistes ».

Observons tout de suite que le petit nombre d'élus des communistes reflète très imparfaitement le chiffre de leurs voix, mais résulte largement de la tactique qui sera jusqu'en 1934 celle du Parti communiste français : cette tactique, « classe contre classe », se caractérise par son intransigeance absolue ; aux yeux des communistes, les socialistes — qu'on n'hésite pas à appeler « social-traîtres » — sont devenus un parti bourgeois comme les autres, qu'il faut combattre autant que les autres, voire même un peu plus, puisqu'ils détournent une partie de prolétariat de la « ligne » véritable. Les communistes refusent toute alliance électorale ; en fait, au deuxième tour de scrutin, une partie de leurs électeurs pratiquent quand même la vieille discipline républicaine au bénéfice des socialistes et même des radicaux ; mais en général électeurs socialistes et surtout radicaux ne fourniront pas à un communiste l'appoint nécessaire à son élection.

Mais devant cette menace sur leur gauche, les socialistes seront portés à accentuer leur rigueur doctrinale, à considérer comme intangibles les principes posés avant 1914 et au nom desquels ils ont fait la scission de Tours ; refusant d'être subordonnés à Moscou, ils ne peuvent, pensent-ils, prêter le flanc à l'accusation de pactiser avec la bourgeoisie française. Aussi, durant cette période, la majorité de la S.F.I.O. a constamment refusé de participer aux ministères radicaux, même en 1924 où socialistes et radicaux avaient été élus le plus souvent sur des listes communes. Les radicaux ont dû se contenter du « soutien ». Mais il y a une grande différence entre participer au gouvernement, être associé aux responsabilités, acquérir l'optique néces-

1. Il est bien entendu que nous ne pouvons, dans le cadre du présent ouvrage, traiter à fond en lui-même d'un événement de cette ampleur ; seules ses répercussions politiques immédiates seront considérées ici.

saire à ceux qui doivent résoudre des problèmes pressants — et soutenir de l'extérieur un parti voisin mais dont les conceptions ne sont pas identiques, et auquel on est vite amené à opposer ses propres principes sans être à même de vérifier s'ils sont immédiatement applicables. Il en résulte que les ministères radicaux, ne pouvant vivre qu'avec le soutien socialiste, ont toujours été fragiles ; les radicaux alors, lassés du soutien « à éclipses », ou placés devant l'impossibilité de constituer un gouvernement et donc devant une crise de régime menaçant la République, se sont retournés souvent vers une autre formule, qui est caractéristique de cette période : les cabinets de concentration ou « d'Union nationale » ; on a eu tendance à leur assigner des origines extérieures à la vie politique normale, pression de grandes puissances financières par exemple ; mais leur possibilité était d'abord inscrite dans la composition même de la Chambre, et dans les attitudes des différents partis.

Mais que vont trouver les radicaux à leur droite, avec quoi ils puissent constituer une alliance alternative ? Question complexe, à laquelle il n'est possible d'apporter encore qu'une esquisse de réponse. En effet, en dehors des trois grands partis de gauche, on ne trouve plus de ces organisations solides et stables, dont il est facile de suivre l'histoire. Et pour cette raison, peut-être, le processus de transformation des attitudes politiques en fonction des problèmes nouveaux se déroule plus librement à droite qu'à gauche.

Depuis longtemps déjà — depuis le début du siècle — la droite ne se compose plus en majorité d'opposants au régime républicain. S'il demeure encore à la Chambre quelques partisans des régimes déchus, en général ils ne s'affirment pas. Mais jusqu'en 1914 la défense du catholicisme servait de ciment à ce qui pouvait encore être considéré comme l'unité de la droite. Désormais ce critérium est de moins en moins valable. Certes, la Fédération Nationale Catholique du général de Castelnau jouera encore pendant un certain temps le rôle politique traditionnel. Mais l'Église reprend et accentue l'évolution vers la gauche tentée sans grand succès par Léon XIII avec le Ralliement. Le signe le plus net en est la condamnation officielle par la

Papauté, en 1926, de l'Action Française, qui s'efforçait de donner une doctrine systématique à la droite extrême. La formation du parti démocrate populaire, encore embryonnaire, est une autre indication du désir de certains catholiques de trouver le contact avec la gauche.

La peur du socialisme et du bolchevisme, au contraire, est un thème de rassemblement assez neuf, et probablement le plus efficace durant cette période. Les uns en condamnent surtout les doctrines internationalistes où ils voient une menace pour la patrie. D'autres songent plus spécialement à défendre contre cette menace une philosophie libérale de la vie économique, ou plus prosaïquement leurs biens et leurs situations. L'Union des Intérêts Économiques d'Ernest Billiet financera les caisses électorales des uns et des autres.

Tout cela est loin de constituer un ensemble homogène. En particulier, il y a de profondes différences de mentalité entre ceux, fort nombreux, qui se préoccupent avant tout de défendre les positions acquises — mais cet état d'esprit se retrouve à gauche sous d'autres formes — et les champions d'un progressisme économique à l'américaine, comme André Tardieu, et les esprits toujours férus d'idées nouvelles, comme Paul Reynaud. Les grands groupes parlementaires eux-mêmes n'ont qu'une unité de façade. On trouve à l'Union Républicaine Démocratique — qui siège le plus à droite — à la fois des nobles agrariens résidus du légitimisme, et de fermes républicains particulièrement méfiants à l'égard de l'Allemagne comme le président Louis Marin. Au centre, les républicains de gauche — héritiers de l'ancienne Alliance Démocratique — défendent des intérêts économiques souvent divers, et des attitudes politiques variées. Les uns et les autres ne sont unis, au fond, que par une préoccupation tactique : surestimant la discipline et l'homogénéité des radicaux dont ils ne veulent pas devenir les otages, les groupes du centre n'acceptent en général d'entrer en coalition avec la gauche (radicaux et groupes voisins) que s'ils sont cautionnés par des représentants de la droite. Ce souci — joint à l'isolement volontaire des socialistes — donnera une coloration politique déterminée aux formations dites d'Union Nationale, et inspirera aux radicaux, toujours préoccupés de paraître « de gauche », le désir de s'en retirer le plus vite possible ; ainsi les cabinets d'Union Nationale ne seront guère plus solides que ceux d'Union des Gauches. L'instabilité ministérielle, déjà constatée à d'autres époques de la Troisième République et qui va maintenant reparaître, tient, non au système, mais, comme il est naturel, à la répartition des forces.

Le Cartel des Gauches et la crise du franc (mai 1924-juillet 1926)

Les élections législatives de mai 1924 renversèrent la majorité du Bloc National. On peut expliquer ce retournement politique par plusieurs facteurs. Tout d'abord, la formation même du Bloc National, unissant des tendances politiques très différentes pour faire face à des tâches d'intérêt national, et prolongeant l'Union Sacrée du temps de guerre, paraissait perdre sa raison d'être à mesure que la guerre s'éloignait ; et vers la fin de la législature 1919-1924 les radicaux avaient de plus en plus souvent rejoint les socialistes dans l'opposition, avant de conclure avec eux une alliance électorale comportant des listes communes : le Cartel des Gauches. Or celui-ci disposait d'excellents thèmes de critique vis-à-vis de la majorité sortante : l'opération de la Ruhr apparaissait à beaucoup comme un échec ; de graves problèmes financiers restaient à résoudre, et les effets de l'inflation se faisaient sentir sous la forme notamment d'une crise de vie chère, enfin l'effort fiscal demandé *in extremis* par Poincaré, le « double décime » ne pouvait être populaire ; ces critiques de circonstance venaient renforcer les thèmes politiques permanents de la gauche, notamment la laïcité.

La victoire électorale du Cartel allait se traduire immédiatement par un conflit constitutionnel. En effet, le Président de la République Millerand était intervenu dans la campagne électorale pour défendre l'œuvre du Bloc National. La nouvelle majorité de gauche, après une vive campagne, obligea Millerand à démissionner par le procédé classique de la grève des ministres. Les adversaires s'accusèrent réciproquement de violation de la Constitution ; sans arguments décisifs, car les textes de 1875 étaient assez imprécis pour se prêter à des interprétations diverses. Tout ce que l'on peut dire, c'est que, Millerand ayant pris part à la campagne électorale en faveur du camp que le suffrage universel venait de désavouer, son départ était conforme à la règle du jeu démocratique.

Pour le remplacer, les partis de gauche avaient désigné Painlevé ; mais au Congrès de Versailles c'est Gaston Doumergue, un radical plus modéré, qui fut élu. Ce fait indiquait déjà la faiblesse relative et la fragilité de la majorité de Cartel.

a) *Le ministère Herriot* (15 juin 1924-10 avril 1925).

Doumergue n'eut pourtant pas d'hésitation à confier à Édouard Herriot, président du parti radical, le soin de former le gouvernement. Mais les socialistes refusèrent d'y participer ; c'est donc une partie seulement de la majorité qui se trouva tenue aux responsabilités du pouvoir ; dès le début ce handicap s'affirmait, toujours grave quand il faut faire face à une situation difficile, susceptible de requérir des mesures impopulaires.

Herriot constitua un ministère avec des radicaux et des représentants des petits groupes voisins. Ministère qu'il s'appliqua à rendre rassurant. En confiant le portefeuille de la Guerre au général Nollet, président de la Commission interalliée de contrôle du désarmement allemand, Herriot montrait que, en pratiquant une diplomatie pacifique, il gardait un vif souci de la sécurité française. Aux Finances, il nomma Clémentel, un homme qui avait eu comme Ministre du Commerce une longue expérience des affaires économiques, et qui s'était acquis la confiance des milieux professionnels. De même, il ne mentionna pas dans son programme le prélèvement sur le capital, dont il avait parlé lorsqu'il était dans l'opposition. Le ministère Herriot, accueilli en général avec enthousiasme par la gauche, ne souleva pas au début d'hostilité trop vive à droite, d'autant que l'été allait être en grande partie occupé par des négociations internationales.

Sur un point pourtant le nouveau gouvernement devait d'emblée soulever les polémiques : c'était la laïcité. Non seulement le ministre de l'Instruction Publique, François Albert, adoptait un langage sans ménagement, mais on prenait des mesures préparatoires à la suppression de l'ambassade auprès du Vatican et à l'introduction des lois laïques en Alsace-Lorraine [1]. On n'alla d'ailleurs jamais plus loin que ces préliminaires, mais il n'en fallut pas plus pour déclencher une vive agitation, et la fondation par le général de Castelnau de la Fédération Nationale Catholique qui allait puissamment étayer l'opposition.

Mais le problème monétaire allait bientôt dominer toute autre préoccupation. L'exemple de l'Allemagne, où l'effondrement complet du mark l'année précédente avait accumulé les misères et les ruines, hante désormais les Français, et vient ainsi ajouter, à des problèmes techniques difficiles et d'ailleurs mal compris, un élément passionnel qui achèvera de fausser les perspectives et, par moments, apportera à la situation une aggravation apparente hors de toute mesure avec les données positives. Soucieuse de ne pas subir en France les épreuves déjà connues par l'Allemagne, l'opinion tout entière crie : « Pas d'inflation ! » Tel est aussi le mot d'ordre du gouvernement. Mais on va confondre le phénomène lui-même avec un de ses effets. L'inflation peut être définie comme l'excès de la demande solvable sur l'offre de biens disponibles ; cet excès, si rien ne vient rétablir l'équilibre, entraîne une hausse accélérée des prix, donc une dépréciation de la monnaie. Ce qui s'impose donc dans la situation de 1924 et des années suivantes, c'est un budget rigoureux, « épongeant » autant que possible par la fiscalité le pouvoir d'achat excédentaire ; ce que le chef radical Caillaux prônera sous le nom de « Grande Pénitence ».

---

1. Les trois départements d'Alsace-Lorraine, du fait de leur rattachement à l'Allemagne de 1871 à 1918, n'avaient connu ni les lois laïques ni la séparation de l'Église et de l'État, et demeuraient sous le régime concordataire. Depuis 1919, les Alsaciens-Lorrains avaient reçu à plusieurs reprises la promesse qu'il ne serait pas touché à leur régime particulier à moins qu'ils ne le demandent eux-mêmes. La question religieuse allait beaucoup contribuer, à partir de 1924, à susciter en Alsace-Lorraine un mouvement autonomiste qui donna lieu à des conflits irritants et douloureux.

Mais l'opinion confond alors l'inflation avec ce qui n'en est qu'une conséquence : la circulation des billets de banque et plus précisément même le montant des avances de la Banque de France à l'État, qui sont nécessaires à la trésorerie et variables par nature, mais publiées officiellement chaque semaine. Pendant cette période, l'attention du public se braquera sur ces chiffres. La loi du 31 décembre 1923 destinée à stopper l'inflation, a fixé le « plafond » de ces avances de manière à maintenir la circulation à 41 milliards : chiffre qui est déjà presque atteint en juin 1924, de sorte que le gouvernement n'a aucune marge de manœuvre. Mais Herriot, partageant avec ses adversaires la superstition du « plafond » qui causera sa chute, refuse à son avènement de faire relever par une nouvelle loi la limite des avances. Dès ce moment donc il va faire dépendre l'existence quotidienne du gouvernement de la bonne volonté de certaines banques privées, qui lui prêtent de quoi assurer les échéances, et de la complaisance plus ou moins coupable du Gouverneur de la Banque de France, qui accepte de truquer les bilans [1] pour ne pas faire apparaître le dépassement du chiffre légal des avances (ce dépassement intervient en fait dès octobre 1924). Mais la limite de pareils expédients est vite atteinte. Un emprunt lancé en novembre n'obtient pas un succès suffisant pour tirer le gouvernement d'embarras.

Dans ces conditions, la discussion du budget de 1925 devient vite dangereuse. Tout d'abord elle amène le ministère à révéler l'ampleur des échéances auxquelles l'État doit faire face ; cet « inventaire » montre assurément que le Cartel a hérité d'une situation difficile, ce qui est un bénéfice politique ; mais il inspire des inquiétudes sur la solvabilité de l'État, ce qui incite les porteurs de Bons à en demander le remboursement à l'échéance, et aggrave du même coup la situation de la trésorerie. En outre, à la commission des finances de la Chambre, les socialistes s'opposent aux projets ministériels : ils veulent supprimer l'impôt sur le chiffre d'affaires (dont nous avons vu le rôle consi-

---

1. Pour le détail de ces truquages voir E. MOREAU, *Souvenirs d'un Gouverneur de la Banque de France*, p. 5.

dérable qu'il jouait dans le budget) et réclament un impôt sur la richesse acquise : devant cette menace, certains commencent à envoyer leurs capitaux à l'étranger, ce qui ajoutera bientôt à la crise de trésorerie une crise du change : la baisse du franc par rapport à la livre sterling et au dollar [1], enregistrée chaque jour à la cote de la Bourse, va constituer un nouveau facteur d'affolement qui bientôt éclipsera le précédent. Mais déjà l'inquiétude se répand dans le public, influence les petits groupes qui font l'appoint de la majorité à la Chambre et surtout au Sénat. Le 2 avril 1925, le ministre des Finances Clémentel démissionne, remplacé par de Monzie ; à ce moment même, le « plafond » officiel des avances de la Banque à l'État est sur le point d'être crevé. Le 10 avril 1925, le ministère Herriot est renversé par le Sénat.

b) *Le 2e ministère Painlevé et l'expérience Caillaux* (17 avril-25 octobre 1925).

Le Président Doumergue fit alors appel à l'autre chef reconnu du Cartel, Paul Painlevé. Celui-ci avait déjà une expérience gouvernementale, et il était connu pour un homme capable de prendre des décisions hardies. Il confirma cette réputation en confiant le portefeuille clef des Finances à Joseph Caillaux.

Caillaux avait derrière lui une longue carrière politique qu'on avait pu croire brisée : durant la guerre, il s'était laissé aller à de graves imprudences, qui lui avaient valu des poursuites entamées à l'initiative de Clemenceau ; si l'inculpation d'intelligences avec l'ennemi n'avait pu finalement être retenue contre lui, il n'en avait pas moins subi une condamnation de principe, et n'était réhabilité que depuis peu. Ses malheurs lui valaient une auréole particulière aux yeux de la gauche, dont il apparaissait comme le chef à la veille de 1914. Painlevé escompta-t-il, comme on l'a dit, que cette auréole toute personnelle permettrait

1. C'est un simple effet de la loi de l'offre et de la demande : « exporter ses capitaux à l'étranger » signifie d'abord vendre des francs pour acheter des monnaies étrangères. A côté des capitaux « exportés » par les Français qui craignent des mesures fiscales, il y a aussi, bien entendu, les capitaux « rapatriés » par les étrangers qui voient diminuer la valeur du franc.

à Caillaux de faire accepter aux radicaux et aux socialistes les sacrifices et les mesures déplaisantes qui s'imposaient ? Le calcul eût été singulièrement naïf. On peut penser plutôt que Painlevé croyait trouver en Caillaux, qui avait été le grand financier de la gauche, un « magicien » à la manière du Dr Schacht, qui venait de faire surgir du néant un nouveau mark allemand.

Mais il n'y a pas de magie en matière de finances. Caillaux se hâte de retrouver une certaine liberté d'action en faisant relever de 41 à 45 milliards le « plafond » de la circulation des billets, par extension de la marge des avances à l'État. Il envisage même une combinaison téméraire, celle du « plafond unique » : elle aurait consisté à fixer le montant des bons de la Défense Nationale au chiffre émis à une date décidée, fixer le montant des billets en circulation à cette même date, et faire autoriser la Banque de France à augmenter le montant des billets dans la mesure même où celui des bons diminuerait. Ainsi le problème des échéances ne se poserait plus. Mais il ne faut pas oublier qu'à ce moment le montant des bons à court terme était de près du double des billets en circulation (qui suffisent par définition aux besoins de l'activité économique réelle) ; si donc une crise de confiance poussait les porteurs de bons à en réclamer le remboursement, c'est-à-dire à transformer des titres en pouvoir d'achat immédiatement utilisable, le système risquait d'aboutir à une inflation gigantesque. Une indiscrétion de financiers à des journalistes suffit à rendre le projet impraticable ; mais il était révélateur de la manière de Caillaux, et de son état d'esprit.

Deux autres projets furent également étudiés, puis écartés. L'un était le prélèvement sur le capital, réclamé avec obstination par les socialistes. L'autre était la consolidation forcée des bons du Trésor et de la Défense : il consistait à déclarer que ces bons, venus à échéance, ne seraient en aucun cas remboursés, mais prorogés, et transformés en quelque sorte en titres d'emprunt à long terme. Accompagnée de certaines garanties, et dans certaines conditions, la mesure n'était pas irréalisable, mais il était fort dangereux d'en agiter la menace : car beaucoup de porteurs de bons, ayant le besoin ou le désir de pouvoir réaliser leur argent rapidement, allaient se hâter de faire rembourser leurs bons tant qu'ils le pouvaient encore : ainsi s'aggravait la crise de trésorerie.

Caillaux proclamait déjà que la solution devait venir d'une longue austérité financière, qui supposait la stabilité politique. Mais on attendait de lui, au contraire, des mesures spectaculaires à effet rapide. Restait alors le recours massif à des crédits étrangers — en pratique, anglais et surtout américains — que bien des pays européens pratiquaient déjà ou allaient pratiquer. Mais il supposait réglé le problème des dettes de guerre interalliées, c'est-à-dire des dettes contractées aux États-Unis par les Alliés d'Europe une fois les États-Unis entrés en guerre. La France était en conflit sur ce point avec les États-Unis : l'opinion française considérait qu'elle avait un droit moral évident à lier le remboursement de ses dettes de guerre au paiement effectif par l'Allemagne des réparations ; les États-Unis n'admettaient pas cette liaison. Caillaux alla donc à Washington en septembre pour obtenir à la fois une aide massive en faveur du franc et des concessions américaines suffisantes pour faire admettre à l'opinion française le paiement des dettes de guerre. Il ne pouvait qu'échouer.

Cependant Caillaux s'était heurté aux socialistes, à propos de la taxe déjà tant discutée sur le chiffre d'affaires ; les socialistes voulaient en exempter le petit commerce, ce qui devait avoir de graves répercussions sur l'équilibre du budget. Caillaux, le 12 juillet, l'emporta contre eux en posant la question de confiance ; mais ce faisant, il brisait pour la première fois la majorité de Cartel et surtout faisait apparaître la possibilité d'une majorité de rechange. Les rancunes politiques qu'il s'attira ainsi, jointes aux déceptions de ceux qui attendaient de lui le miracle financier, ne tardèrent pas à provoquer sa chute ; le 27 octobre, Painlevé, pour se débarrasser de son ministre, donna la démission du cabinet.

Pendant ce court ministère, le franc avait commencé sa grande chute : partie de 90, la livre sterling avait dépassé le cours de 100, et le mouvement allait maintenant s'accélérer.

c) *La cascade des ministères d'expédients.*

En effet, à partir de ce moment, le désordre politique allait constituer la cause principale de la crise de confiance, entraînant des embarras de trésorerie répétés et la chute du franc. La meilleure façon de résumer les événements est d'indiquer la liste des ministères :

3e ministère Painlevé : 29 oct. 1925-22 nov. 1925 ;
8e ministère Briand : 28 nov. 1925-6 mars 1926 ;
9e ministère Briand : 9 mars 1926-15 juin 1926 ;
10e ministère Briand : 24 juin 1926-17 juil. 1926 ;
2e ministère Herriot : 20-21 juillet 1926.

La cause déterminante de cette crise politique, c'est l'impossibilité de réunir une majorité de Cartel sur un programme financier efficace, qui permettrait de faire face aux besoins de l'heure. La crise est à la fois prolongée et atténuée par la nécessité d'assurer la continuité de la politique extérieure : ainsi s'explique que Briand occupe la plupart du temps la Présidence du Conseil ; mais Briand n'a ni le temps, ni le goût de s'attaquer lui-même au problème financier, et cherche en vain le ministre capable de le résoudre. Devant ce désarroi, la fuite devant la monnaie s'accélère ; la livre sterling va monter jusqu'à 240 F en juillet 1926 ; par bonheur, l'ensemble de l'économie, et notamment les prix des marchandises, ne suivent qu'avec beaucoup de retard les fluctuations du marché des changes.

D'ailleurs, ces chutes répétées de ministères jouaient à certains points de vue un rôle utile. D'abord, elles accoutumaient l'opinion au caractère inévitable de certains sacrifices, de certaines mesures très éloignées des engagements électoraux. Une des étapes les plus apparentes de cette résignation au réel fut la constitution par Briand du Comité des Experts [1] chargé de dresser le plan d'assainissement financier. A cette indispensable usure des réactions psychologiques, la répétition des crises ministérielles ajoutait un autre résultat : elle faisait mûrir la constellation politique nécessaire pour la mise en pratique des solutions

1. Le Comité des Experts se composait principalement de banquiers praticiens des opérations financières et monétaires. Mais il comprenait également deux universitaires d'opinions avancées : Gaston Jèze et surtout Charles Rist, dont le rôle fut prépondérant. Son objet essentiel fut de définir une technique de redressement, en dehors et au-dessus des considérations politiques.

techniques. En effet, pour un financier, les solutions du problème étaient simples ; pour un homme politique, elles comportaient au départ, avant d'avoir produit leurs résultats, une dose d'impopularité pour les gouvernants, des facilités pour l'opposition, telles que seule l'union la plus large possible pouvait permettre leur mise en pratique. Or précisément chaque crise préparait la constitution d'une majorité nouvelle d'Union Nationale, que successivement Briand, lors de son 10e ministère, et Herriot lors de son 2e, tentèrent de réaliser sans y réussir.

Mais la crise avait en même temps mis en lumière le défaut peut-être le plus grave de la pratique parlementaire française : l'indiscipline budgétaire des Assemblées. Depuis longtemps, en particulier, la Chambre des Députés et sa Commission des Finances avaient pris l'habitude de bouleverser de fond en comble le projet de budget du gouvernement sans pour autant vouloir renverser celui-ci et changer la majorité, mais sans pouvoir dresser elles-mêmes un budget cohérent et applicable. Dans la conjoncture de 1924-1926, cette légèreté devait avoir des conséquences très graves, et ainsi allait apparaître, comme moyen d'éviter cet obstacle, une procédure peu compatible avec les principes du régime parlementaire : celle des décrets-lois. Le premier essai en fut malheureux : Joseph Caillaux, revenu au ministère des Finances dans le 10e ministère Briand, demanda l'autorisation de prendre par décret toutes les mesures nécessaires au redressement financier. Il fut alors combattu, non seulement par les socialistes et une partie de la droite, mais par le chef de son propre parti, Herriot, et renversé par la Chambre. En fait, malgré les appels éloquents que lancèrent ses opposants aux principes parlementaires, il semble bien que la personne de Caillaux fut pour beaucoup dans son échec : on ne voulait pas déléguer de larges pouvoirs à un homme dont la conduite et le passé avaient de quoi inquiéter tout le monde, et qui notamment s'était laissé aller à jeter sur le papier un projet d'allure dictatoriale intitulé le « Rubicon ». Mais les mêmes pouvoirs refusés à Caillaux devaient être accordés sans difficulté au sage et prudent Poincaré.

Poincaré et la stabilisation du franc (juillet 1926-juillet 1929)

Dans la période de crise aiguë de 1926, le nom de Poincaré s'impose de plus en plus comme celui du seul homme capable d'apporter la solution. Non pas qu'il ait, comme Caillaux, la réputation d'un grand technicien des finances. Sa probité est assurément indiscutée, mais l'honnêteté financière d'un Herriot, par exemple, est-elle davantage mise en doute ? Mais Poincaré passe pour doué d'une grande aptitude à dire « non », et l'on pense qu'il résistera à toute démagogie. De plus, il s'est soigneusement tenu en dehors des luttes de partis, jusqu'à refuser — ce qui lui fut beaucoup reproché à l'époque — de se lancer à fond dans la bataille électorale de 1924 pour soutenir sa majorité. Mais cette réserve va lui permettre maintenant de constituer un ministère de large Union Nationale, comprenant à la fois les deux chefs du Cartel, Herriot et Painlevé, — le président du grand groupe de droite l'U.R.D. (Union Républicaine Démocratique) Louis Marin — les personnalités les plus marquantes du Centre, Louis Barthou et André Tardieu — et, bien entendu, l'inamovible ministre des Affaires Étrangères, Aristide Briand. Tels sont les éléments les plus rationnels permettant d'expliquer la « confiance » qui allait être l'atout majeur de Poincaré. Mais cette « confiance » est avant tout un facteur psychologique, largement irraisonné. Peut-être provient-elle surtout d'une profonde harmonie entre ce qu'on sait de Poincaré et les opinions, les idées, les instincts du « Français moyen ».

Poincaré a théoriquement un programme tout tracé : le Plan établi par le Comité des Experts. L'objectif en est de stabiliser le franc aussi rapidement que possible, et c'est là une innovation révolutionnaire. Car stabiliser le franc, c'est définitivement consacrer, du moins dans une large mesure, la dépréciation que le franc a subie par rapport à l'or depuis 1914. Or beaucoup de Français croient encore que le franc retrouvera tôt ou tard sa valeur traditionnelle. On l'a bien vu lorsque Caillaux a lancé en 1925 un emprunt à garantie de change, qui mettait les porteurs à l'abri d'une dépréciation ultérieure du franc ; les souscripteurs ont boudé une opération dont ils ne voyaient pas l'intérêt. Il a fallu la chute accélérée de 1926 (la livre est arrivée à coter 240 F au mois de juillet), pour que la stabilisation du franc apparût à beaucoup comme un moindre mal, et qu'il devînt politiquement possible de l'envisager.

Mais les Experts veulent une stabilisation rapide, au besoin à une parité assez basse (on envisage un taux de change de 150 F pour 1 livre sterling). Pour cela, il ne suffit pas de pratiquer une politique budgétaire rigoureuse, comportant des excédents de recettes substantiels. Il est nécessaire d'obtenir d'importants crédits étrangers, soit directement, soit sous forme de mobilisation des obligations allemandes [1] du Plan Dawes. L'utilité de cette masse de manœuvre en devises étrangères serait double ; d'une part, en cas de besoin, soutenir le cours du franc en vendant les devises sur le marché des changes ; mais aussi, la contre-valeur en francs de ces devises servirait à rembourser une partie des bons à court terme et à consolider le reste, c'est-à-dire à dégager la trésorerie en espaçant les échéances. C'est dans cette voie que s'était engagé Caillaux. Mais l'appui des financiers anglais et surtout américains ne pouvait guère être obtenu sans la ratification de l'Accord Mellon-Béranger du 29 septembre 1926, qui réglait le paiement des dettes de guerre.

Poincaré allait adopter en réalité une politique assez différente. Il n'était pas pressé de stabiliser, n'ayant sans doute pas perdu l'espoir d'une revalorisation progressive du franc. Il ne tenait pas à solliciter de crédits étrangers, craignant non sans raison que ces crédits s'accompagnent plus ou moins indirectement de conditions politiques ; il avait pour justifier ses craintes, non seulement ses propres souvenirs de l'emprunt Morgan de

1. On entend par ce terme l'acceptation de ces obligations par des banques internationales — surtout anglaises et américaines — qui en remettraient la contre-valeur à la France sous forme de livres, de dollars, etc. L'opération nécessitait l'accord à la fois de ces banques et du gouvernement allemand.

mars 1924 [1], mais l'exemple de plusieurs pays d'Europe Centrale. Or ces conditions, à ses yeux, pouvaient mettre en cause la sécurité de la France, notamment en stipulant une évacuation trop rapide de la Rhénanie. Enfin Poincaré ne se souciait sans doute pas de proposer simultanément ou coup sur coup deux mesures politiquement impopulaires : la ratification de l'accord sur les dettes et la stabilisation.

Poincaré commença par aller plus loin que les Experts dans la voie de la rigueur budgétaire : il réclama aussitôt 11 milliards et demi de ressources nouvelles (au lieu des 8 milliards des Experts) pour la fin de l'exercice 1926 et l'exercice 1927. En même temps, en donnant valeur constitutionnelle à la création d'une Caisse d'Amortissement, il renforçait la « confiance ». Celle-ci était d'ailleurs telle, dès le début, que les capitaux français expatriés [2] rentrèrent, et que la spéculation changea de sens : le franc se mit à remonter rapidement sur le marché des changes. Cette hausse du franc allait bientôt faire apparaître une nouvelle menace : en rendant les importations moins coûteuses et les exportations plus difficiles, comme en alourdissant le poids de dettes intérieures, elle commençait à mettre certaines industries en péril. Aussi, sous la pression simultanée du gouverneur de la Banque de France Émile Moreau et du secrétaire de la C.G.T. Léon Jouhaux — qui craignait le chômage — Poincaré se résigna en décembre 1926 à laisser opérer une stabilisation de fait : la livre étant redescendue au cours de 120 F, la Banque de France se mit à user de la faculté que lui avait donnée la loi du 7 août 1926, de vendre ou d'acheter de l'or et des devises au cours du jour — et non plus à la parité théorique de 1914. Pendant toute l'année 1927 et le début de 1928, la Banque de France maintint la livre autour de 125 en achetant des devises. Pour ce faire, elle

1. Cet emprunt, accordé pour faire face à une première crise de change, avait précipité la liquidation de l'opération de la Ruhr.

2. Ces capitaux étaient d'autant plus importants, que la chute du franc avait stimulé les exportations : or les exportateurs s'étaient naturellement gardés de convertir les devises étrangères gagnées en francs dont la valeur diminuait chaque jour.

créait des francs ; il en résultait une aisance monétaire qui permettait le renouvellement des Bons et, peu à peu, leur consolidation volontaire [1]. Ainsi Poincaré se rapprochait de l'objectif fixé par les Experts, sans user de leurs moyens.

Cependant ces émissions de francs, quoique gagées par des devises rattachées à l'or, n'allaient pas sans inconvénient, et notamment sans risques inflationnistes, d'autant que tant que la stabilisation légale n'était pas faite, la spéculation jouait la revalorisation du franc, obligeant sans cesse la Banque de France à intervenir. Cependant Poincaré retardait sa décision, alléguant qu'il ne pouvait risquer une telle mesure qu'après les élections. Celles-ci eurent lieu en avril 1928, et furent un triomphe pour Poincaré. Le Président du Conseil se résigna : il fit voter la loi monétaire à une très grosse majorité, le 24 juin 1928. Le franc est à nouveau défini par un poids d'or, mais au cinquième de sa valeur d'avant-guerre ; les billets de banque peuvent à nouveau s'échanger, mais contre des lingots, non contre des pièces ; l'encaisse-or de la Banque est réévaluée à la nouvelle parité, et le bénéfice comptable ainsi dégagé est affecté au remboursement de la dette du Trésor. Techniquement, l'opération est brillante. Économiquement, elle était indispensable : les prix exprimés en francs ne pouvant baisser dans la proportion où ils avaient monté, une revalorisation du franc aurait provoqué un désastre dont le marasme économique anglais à la même époque ne donne qu'une faible idée. Pourtant, on s'explique les répugnances de Poincaré — partagées d'ailleurs par des hommes politiques de tendances très diverses. La dépréciation du franc consacrait une spoliation des quatre cinquièmes pour tous ceux qui, notamment durant la guerre ou aussitôt après, avaient, souvent dans un élan patriotique, donné leur or et leurs épargnes à l'État ; en ébranlant les valeurs traditionnelles, elle contribuait à miner la confiance des Français en eux-mêmes et dans leur pays. Elle sacrifiait,

---

1. Les porteurs, ayant le choix entre se faire rembourser leurs Bons et les échanger contre d'autres Bons à échéance plus lointaine, choisissaient cette dernière solution.

a-t-on dit, le passé à l'avenir ; sans doute, mais elle hypothéquait aussi l'avenir.

Dans beaucoup de milieux politiques, notamment chez les radicaux, on comptait, sitôt la stabilisation acquise, reprendre sa liberté d'action. C'est ce que les radicaux firent en novembre 1928 à la suite de leur congrès d'Angers. L'occasion de leur rentrée dans l'opposition fut l'insertion dans la loi de finances des art. 70 et 71 donnant aux congrégations missionnaires des privilèges contraires aux lois de 1901 et 1905. Ces articles avaient été établis à la demande du Ministère des Affaires Étrangères, essentiellement pour sauvegarder l'influence française au dehors. Néanmoins, sous la pression de leur parti qui jugeait la laïcité en danger, les ministres radicaux démissionnèrent.

Poincaré reforma sans eux un ministère qui n'était plus appuyé que sur la droite et le Centre. Ce dernier ministère allait être dominé par la question des réparations et celle des dettes de guerre. C'est durant ce ministère, en effet, que fut élaboré le Plan Young, qui se substituait au Plan Dawes et comportait à la fois une réduction substantielle du total de la dette allemande, et la disparition des contrôles établis sur les finances de l'Allemagne. Or Poincaré allait accepter le Plan Young, et consacrer ses dernières forces à obtenir la ratification de l'accord sur les dettes interalliées.

N'y avait-il pas une discordance entre cette attitude nouvelle, et les anciens efforts de Poincaré pour obtenir le paiement intégral des réparations, comme aussi ses hésitations plus récentes à demander la ratification des accords sur les dettes ? On a pensé que Poincaré, comme bien d'autres d'ailleurs, voyait là le moyen d'établir la liaison, depuis si longtemps réclamée par l'opinion française, entre les dettes de guerre et les réparations : le terme prévu du Plan Young était le même que celui de l'accord Mellon-Béranger (1918) ; et le Plan Young comportait, à côté d'une tranche non différable, une tranche différable en cas de difficultés financières, et qui devait couvrir le paiement des dettes interalliées. Mais la liaison de droit entre dettes et réparations ne fut pas admise par les États-Unis.

En fait, ces questions, malgré leurs aspects financiers, ne sont pas séparables de l'ensemble de la politique étrangère. Le Plan Young fait suite au Pacte Briand-Kellogg. Et c'est parce que Poincaré avait repris comme ministre des Affaires Étrangères Briand, qu'il avait jadis combattu, qu'il mit toute son autorité au service de la ratification de l'accord sur les dettes. C'est au cours de ce dernier débat, le 26 juillet 1929, que Poincaré, malade, abandonna la vie publique.

La nouvelle orientation de la politique étrangère : Briand

A partir de 1924, les préoccupations extérieures de la France se transforment ; la question des réparations, qui a jusque-là enfiévré l'opinion, passe au second plan. Au contraire, les soucis de la paix et de la sécurité deviennent primordiaux. Cette différence d'accent s'explique aisément : à mesure que les illusions nées de la victoire se dissipent, et dès lors que l'Allemagne sort du chaos politique et retrouve sa stabilité, la situation réelle et le rapport des forces entre les deux nations redeviennent visibles. D'autre part, l'échec de la politique de force et de contrainte qu'on croit communément avoir été celle du Bloc National, joint à la lassitude naturelle d'un pays épuisé incline naturellement les Français à chercher le salut dans des voies nouvelles : l'apaisement de l'antagonisme franco-allemand, l'idéologie wilsonienne de la Société des Nations : celle-ci, restée dans l'ombre depuis 1919, va devenir d'un coup, et pour longtemps, le centre de l'activité diplomatique.

a) *La tentative d'organisation générale de la sécurité collective et son échec : le Protocole de Genève.*

Le Pacte de la S.D.N. avait posé les principes de l'assistance mutuelle et du désarmement général, et les représentants à Genève des puissances menacées — France et petits États d'Europe Centrale — n'avaient pas tardé à exiger que les deux fussent liés. Herriot, le premier Président du Conseil français à se rendre personnellement à Genève, s'enthousiasme pour les projets déjà en cours d'élaboration, et popularise la trilogie « arbitrage-sécurité-désarmement » qui satisfait à la fois son esprit logique et son généreux optimisme. En Angleterre, d'autre part, arrive au pouvoir pour la première fois le parti travailliste, dont le chef Mac Donald a en commun avec Herriot des affinités politiques, peut-être même une certaine sympathie personnelle. En outre, Herriot a fait dès août d'importantes concessions au point de vue anglais, en ce qui concerne le Plan Dawes et l'évacuation de la Ruhr, qui devait s'effectuer dans un délai d'un an à compter d'août 1924. Aussi Mac Donald se laisse-t-il par moments arracher des promesses par la chaleureuse insistance d'Herriot. C'est dans ces conditions que, en octobre 1924, l'Assemblée de la Société des Nations adopte le Protocole suivant : arbitrage obligatoire pour les différends internationaux ; pour celui qui refuserait l'arbitrage ou ne l'appliquerait pas une fois rendu, des sanctions financières, économiques, voire militaires seraient exercées obligatoirement par les États membres de la S.D.N., sur décision du Conseil prise à la majorité des deux tiers. Si ce protocole était mis en pratique, on pouvait vraiment parler de sécurité collective.

Mais la différence apparut vite entre l'atmosphère de Genève et les réalités de la politique des États. Si les pays les plus menacés et donc les bénéficiaires les plus certains du Pacte, comme la Tchécoslovaquie, se hâtèrent de ratifier, tout dépendait, en fait, de l'attitude de la Grande-Bretagne et de ses Dominions. La défaite des travaillistes anglais et leur remplacement par les conservateurs, dès novembre 1924, firent apparaître rapidement et brutalement ce qui, sans doute, se serait manifesté tôt ou tard : la Grande-Bretagne, ayant à monter la garde un peu partout dans le monde, ne pouvait souscrire d'engagements illimités dont elle ne pouvait prévoir jusqu'où ils l'entraîneraient ; et cela d'autant plus que les Dominions la freinaient, répugnant toujours fortement à intervenir dans les conflits, lointains pour eux, de l'Europe. C'était déjà la grande raison invoquée par les sénateurs américains pour ne pas ratifier le Traité de Versailles. Faute de la ratification britannique, le système de sécurité collective se trouva relégué pour longtemps dans le domaine des discussions théoriques.

b) *La politique de Briand.*

A partir de la constitution du ministère Painlevé d'avril 1925, Briand fut sans interruption, jusqu'à la veille de sa mort en 1932, le ministre des Affaires Étrangères. Rarement personnage et politique furent plus passionnément et plus constamment discutés ; pour ses partisans les plus ardents, Briand était bien près d'être le sauveur du monde, celui qui ferait régner la paix perpétuelle et universelle ; pour ses adversaires les plus déterminés, c'était, sinon un traître, du moins l'homme qui, par faiblesse et par naïveté, livrait peu à peu la France à l'Allemagne. Et pourtant Briand fut considéré comme l'homme indispensable par une longue suite de gouvernements soutenus par des majorités très diverses, allant du Cartel des Gauches à l'Union Nationale, puis au Centre droit, et où figuraient certains de ses adversaires les plus déterminés de la période précédente, comme Poincaré et Tardieu.

Si l'on cherche à expliquer ce paradoxe, on en découvre bientôt un autre. L'imagerie populaire, bienveillante ou hostile, s'accorde au fond à représenter un « apôtre », c'est-à-dire un idéaliste généreux allant facilement jusqu'aux illusions. Or Briand, au cours de sa carrière déjà longue, a manifesté une personnalité bien différente : celle d'un politicien très habile, parfois retors, préférant souvent le pouvoir aux principes ; sachant d'autant mieux manier les hommes qu'il manque d'illusions sur eux, parfois jusqu'au cynisme ; doué, enfin, de cette remarquable intuition qui fait les grands hommes d'État. Si la majorité du personnel politique le soutient fidèlement, sans se laisser troubler par les polémiques, c'est qu'il n'y a plus d'alternative : l'occupation de la Ruhr n'ayant abouti qu'à un échec ou au moins à des résultats limités, il n'est plus possible de maintenir l'Allemagne en situation inférieure par une politique de coercition. Il est donc nécessaire que la France sorte de son isolement diplomatique, et retrouve l'appui de l'Angleterre ; et cela suppose que la France adopte une attitude conciliante à l'égard de l'Allemagne, et cherche à se rapprocher d'elle. Beaucoup d'ailleurs espèrent, surtout parmi la gauche, que l'Allemagne désormais démocratique, si on la traite en égale, oubliera ses revendications nationalistes, ou ne maintiendra que celles qui pourront être satisfaites pacifiquement (sur ce dernier point, les idées des partisans du rapprochement avec l'Allemagne demeurent vagues, et sans doute divergentes). Briand lui-même se fit-il beaucoup d'illusions sur les objectifs réels de ses partenaires allemands, et notamment de Stresemann ? On peut en douter. Mais quelles que fussent les arrière-pensées, une attitude conciliante envers l'Allemagne était commandée par les nécessités de l'entente franco-anglaise. Et Briand apparaissait depuis 1922 comme le champion le plus représentatif de cette politique, l'homme capable de la mener avec le plus d'adresse et d'autorité.

Briand va trouver dans la Société des Nations l'instrument de sa politique. Non pas sans doute qu'il mette ses espoirs dans un système abstrait et automatique de sécurité collective : l'échec du Protocole de Genève aura achevé de lui ouvrir les yeux, s'il en était besoin. Mais à ce parlementaire-né la S.D.N. offre un champ d'action incomparable : une tribune, mais plus encore des couloirs, où l'on peut prendre la mesure des hommes d'État étrangers et la température de l'opinion, semer discrètement les idées, élaborer des projets. Et c'est dans le cadre de la S.D.N., mais pourtant un peu en marge de sa machinerie officielle, que Briand lancera ses principales tentatives.

A vrai dire la première de ses réalisations, et la plus fructueuse, ne provient pas directement de son initiative. Le pacte de Locarno (16 octobre 1925) a pour origine une initiative allemande suggérée par l'Angleterre : signe que la situation était mûre. Il consistait en la garantie, par les puissances intéressées, la Grande-Bretagne et l'Italie, des frontières franco-allemande et belgo-allemande, ainsi que de la zone démilitarisée du Rhin. Chacun y voyait un avantage. Pour l'Allemagne, c'était une première reconnaissance de l'égalité des droits, et l'assurance qu'il n'y aurait plus d'action unilatérale de la France au-delà du Rhin ; pour la Grande-Bretagne, c'était le rétablissement de l'équilibre européen, le moyen de contrôler les rapports franco-allemands. Mais la France, de son côté, retrouvait la garantie anglaise dont elle était privée par suite de la non-ratification du Traité de Versailles par les États-Unis. Mieux, cette garantie s'étendait à la démilitarisation de la

Rhénanie, ce que Briand n'avait pas obtenu lors de son entreprise avortée de la Conférence de Cannes. Sans doute, le pacte de Locarno proprement dit ne couvrait pas les frontières orientales de l'Allemagne, c'est-à-dire la Tchécoslovaquie et la Pologne. La confirmation publique, le même jour, des alliances franco-polonaise et franco-tchécoslovaque était impuissante à engager la politique anglaise dans une voie où elle était résolue à ne pas aller. Néanmoins on pouvait penser que, à Locarno, la nouvelle politique française atteignait du premier coup l'essentiel de ses objectifs : obtenir de l'Allemagne la reconnaissance volontaire des nouvelles frontières occidentales de Versailles, et obliger l'Angleterre à les défendre.

Pourtant Locarno à lui seul n'assurait pas à la France sa sécurité. L'alliance franco-anglaise, contrairement à ce que beaucoup croyaient à l'époque, ne suffisait pas à soutenir un éventuel choc allemand ; elle n'eût pas suffi en 1914, sans l'offensive de revers des Russes ; et sa faiblesse apparut avec évidence en 1940. L'explication en est simple pour qui ne se contente pas d'additionner des populations et des capacités de production : c'est que la Grande-Bretagne, qui assumait un peu partout dans le monde d'importantes responsabilités, ne pouvait pas, sauf danger vital pour elle-même, concentrer en Europe l'essentiel de ses forces. Et Briand, à en juger par ses efforts ultérieurs, paraît avoir eu le sentiment que son œuvre était incomplète.

On peut passer rapidement sur l'admission de l'Allemagne à la S.D.N., conséquence directe de la politique de Locarno à un an de distance (sept. 1926). On peut passer aussi sur l'entrevue de Thoiry (17 sept. 1926), qui n'eut pas de suite : Briand, convaincu, comme l'étaient à l'époque la plupart des gens informés, que la France ne pourrait stabiliser sa monnaie sans aide étrangère, demanda à Stresemann l'appui financier allemand, sous forme notamment de mobilisation des obligations du Plan Dawes ; le danger était que la France, en contrepartie, évacuât la Rhénanie avant d'avoir mis en place son nouveau système de défense. Aussi Poincaré coupa-t-il court à cette amorce de négociation qui devint bientôt sans objet.

Mais Briand se montra plus original en tentant, comme il

l'avait déjà fait sans succès en 1921, de retrouver le contact avec les États-Unis. Cette fois-ci il employa un moyen détourné : à l'occasion du 10e anniversaire de l'entrée en guerre des États-Unis, il adressa un message au peuple américain proposant que les deux pays s'engagent à renoncer entre eux à la guerre ; c'était un moyen de se concilier l'opinion, si puissante outre Atlantique, et assez montée contre la France à l'occasion du débat sur les dettes de guerre. Mais Kellogg, secrétaire d'État américain, répondit en proposant un pacte de renonciation à la guerre étendu à toutes les nations qui le désireraient, et dépourvu de toute sanction. Le pacte Briand-Kellogg fut signé par 57 nations, dont l'Allemagne, l'Italie et le Japon. Mais il était devenu inopérant par son extension même, et risquait même le cas échéant de gêner la mise en jeu de la sécurité collective. Cependant l'acceptation du Plan Young, considéré comme règlement définitif des Réparations, entraînait l'évacuation complète de la Rhénanie près de cinq ans avant le terme fixé par le Traité (juin 1930).

Briand n'avait pas attendu cette échéance pour tenter un suprême effort dans une direction nouvelle : en septembre 1929, il lance un projet de Fédération européenne, comportant à la fois l'établissement de liens économiques, et — cela fut précisé dans son memorandum du 1er mai 1930 — l'extension à tous les États européens du système de sécurité de Locarno. On peut penser que Briand manifestait là une vision prophétique, d'autant plus qu'il avait envisagé des idées du même genre dès la conférence de Cannes ; mais aux yeux de ses contemporains le besoin de ressouder l'Europe, en présence de la montée envahissante des États-Unis et de la Russie des Soviets, n'était encore qu'une vue de l'esprit. L'Allemagne continua à refuser de tenir pour immuables ses frontières de l'Est. La Grande-Bretagne ne voulait pas s'engager dans l'Europe au détriment de son rôle mondial, et notamment de ses liens avec ce qui allait devenir le Commonwealth, comme de ses contacts avec les États-Unis. L'échec de cette dernière tentative était inévitable, car précisément elle supposait résolu le problème sur lequel Briand avait usé ses forces.

Briand lui-même n'allait pas survivre longtemps à l'insuccès final de sa politique. Devant les périls internationaux de plus en plus apparents, on allait l'accuser d'avoir « endormi » l'opinion française. En fait, s'il utilisa pour sa popularité un désir général de paix qu'il n'avait certes pas créé, s'il chercha à pratiquer la seule politique que permettaient désormais à la France son épuisement physique et sa lassitude morale, on ne peut pas dire que — Thoiry mis à part — il ait commis des imprudences, ni qu'il ait abandonné des positions importantes qu'on eût pu conserver longtemps. Son échec est imputable, en définitive, non à lui-même, mais à la situation où il s'est trouvé.

Les problèmes de défense nationale

Tandis que la politique extérieure de la France s'efforçait de réunir les moyens diplomatiques de sa sécurité, qu'advenait-il des moyens militaires ?

Le service militaire actif, fixé à 3 ans en 1913, avait été ramené à 18 mois en 1923, puis à un an en 1928. Les difficultés financières de l'après-guerre expliquaient largement cette réduction. Mais aussi, la situation générale paraissait rendre ces mesures sans danger. Le contingent fourni par le service d'un an était de l'ordre de 200 000 hommes, encadrés par des officiers et des sous-officiers de carrière, et par des « spécialistes » professionnels (environ 100 000 au total) ; en face, l'Allemagne — dans la mesure où le Traité de Versailles était appliqué — ne disposait que de 100 000 soldats. En cas de besoin, d'ailleurs, le gouvernement pouvait, sans recours à une nouvelle loi, garder un an de plus la classe instruite. En même temps, était décidée la construction d'une ligne fortifiée — dite « Ligne Maginot » — destinée à couvrir la frontière de l'Est. Poincaré — sous les ministères de qui toutes ces mesures furent prises — avait, nous l'avons vu, subordonné sa politique de défense dn franc à son souci de protection des frontières : il avait refusé de recourir aux crédits étrangers, afin de ne pas avoir à évacuer la Rhénanie avant que les travaux de défense aient été effectués. Le personnel politique, rassuré par la caution d'un homme aussi soucieux de la défense du pays que l'était Poincaré, pouvait penser qu'il avait rempli son devoir : assurer la sécurité militaire du pays tandis que Briand essayait de construire la paix.

Une mesure pourtant n'avait pas abouti : la loi sur l'organisation de la nation en temps de guerre, dite loi Paul-Boncour, votée par la Chambre en mars 1927, devait rester dix ans en instance devant le Sénat. Ce projet répondait à des préoccupations très diverses. D'abord un souci de justice : mettre fin à la profonde inégalité entre combattants et non-combattants qui avait marqué la guerre de 1914, ou tout au moins à l'inégalité économique ; ainsi s'explique qu'un socialiste ait été l'instigateur de la loi : il s'agissait de prévenir le retour du scandale des bénéfices de guerre. D'autre part, la guerre de 1914 avait également montré, en se prolongeant, l'importance du matériel et de la puissance économique. Or le projet Paul-Boncour organisait d'avance la guerre totale, la mobilisation de toutes les ressources de la nation. C'est d'ailleurs ce qui explique qu'on l'ait considéré comme moins urgent que les autres dispositions militaires, et que même il se soit heurté à une opposition plus ou moins ouverte. Tandis que les entrepreneurs répugnaient à la limitation des bénéfices, qu'ils jugeaient incompatible avec le nécessaire développement industriel, les syndicats voyaient d'un mauvais œil l'assimilation du travailleur mobilisé au combattant, et la limitation des salaires corrélative à celle des profits. Au vrai, le projet Paul-Boncour, allant jusqu'au bout de la logique, imposait d'emblée une discipline et des sacrifices qu'on ne peut faire admettre à la population que sous l'impression d'un péril immédiat, ou au bout de plusieurs années de guerre [1]. Et son urgence ne semblait pas s'imposer dans une France où, par réaction contre les illusions de 1914, on croyait communément que la guerre, si elle venait à éclater, durerait longtemps.

Un examen plus attentif du système de sécurité français eût

---

1. Il ne faut pas oublier que, lors de la Seconde Guerre Mondiale, l'Allemagne elle-même ne mobilisera complètement ses ressources qu'à partir de 1943.

dû amener à se poser certaines questions. Et tout d'abord, quelle était la véritable fonction de la Ligne Maginot ? Était-ce, comme on l'a dit plus tard dans une intention critique, une « Muraille de Chine » destinée à rendre la France inexpugnable, mais en l'enfermant dans une stratégie purement défensive, incompatible avec les engagements pris à l'égard de la Pologne et de la Petite Entente ? En ce cas, elle n'était que l'amorce de ce qu'elle aurait dû être : elle ne couvrait que la rive du Rhin et une partie de la Lorraine (avec une lacune à l'endroit de la vallée de la Sarre) et s'arrêtait à Longuyon, un peu à l'ouest de Longwy, laissant pratiquement ouverte la presque-totalité de la frontière belge ; or l'expérience de 1914 suffisait à montrer qu'une invasion par la Belgique constituait le risque le plus probable.

Pourquoi avait-on renoncé à faire une ligne Maginot complète, jusqu'à la mer ? En partie, parce qu'on surestimait l'obstacle naturel des Ardennes et de la vallée encaissée de la Meuse. Mais surtout parce que la frontière du Nord, au moins entre Valenciennes et Armentières, traverse une zone urbaine et industrielle à peu près continue, où il est difficile d'établir en temps de paix une ligne fortifiée permanente, comportant notamment des champs de tir dégagés. On peut penser qu'en temps de guerre au contraire il est facile, dans ces agglomérations épaisses, d'improviser une défense si l'on en a vraiment la volonté. Quoi qu'il en soit, les experts militaires jugèrent nécessaire de porter la position de défense prévue très en avant, en Belgique, ce qui était d'ailleurs conforme à l'esprit de l'alliance franco-belge. On s'en remettait donc du soin d'établir des positions défensives à la Belgique, qui ne fit pas grand-chose ; et un projet Tardieu de prêter au gouvernement belge l'argent nécessaire aux fortifications, n'aboutit pas. Mais dès lors la France était vouée à une stratégie hybride : défensive au début le long de la Ligne Maginot, mais avec manœuvre offensive en Belgique sitôt que l'ennemi attaquerait, c'est-à-dire au moment choisi par lui. Situation désavantageuse, qui supposait que les troupes de l'aile gauche marchante auraient le temps de se mobiliser, de se déployer, de faire mouvement et de s'établir sur des positions non reconnues en temps de paix, avant que la vraie bataille ne commence.

Mais cette notion de délai indispensable pour agir nous amène, nous qui raisonnons après l'événement, à nous poser de nouvelles questions. Le péril pouvait, semble-t-il, se présenter de deux façons : ou bien une rentrée des troupes allemandes en Rhénanie, ou bien une attaque sur la Pologne, pays dépourvu de défenses naturelles et où les armées pouvaient progresser rapidement : l'exemple de 1920, bien connu des responsables militaires français, était là pour le montrer. Dans un cas comme dans l'autre, pour réagir utilement il fallait le faire vite. Or l'armée française du service d'un an était dépourvue de toute force d'intervention immédiate : les unités constituées en temps de paix étaient des unités de formation, d'instruction, non des unités de combat.

Il semble que les chefs militaires de l'époque, dans l'ensemble, aient eu du mal à concevoir une véritable guerre de mouvement, et qu'ils aient cru que l'armée française, trop faible pour prendre l'offensive dans la première phase de la guerre, parviendrait toujours à s'établir en position défensive jusqu'à l'entrée en ligne d'alliés puissants [1].

L'État-major semble s'être préoccupé assez vite de l'insuffisance globale des effectifs et de la nécessité d'en revenir au service de deux ans, et fit porter sur ce point l'essentiel de ses efforts.

Mais le service de deux ans, vers 1932 par exemple, où se réunit la Conférence du Désarmement, ne représentait pas seulement une lourde charge financière et économique, mais une véritable impossibilité politique. Non seulement l'opinion française n'y était pas préparée, mais surtout une telle mesure eût creusé un profond fossé entre la France d'une part, l'Angleterre et les États-Unis de l'autre. Or il semble bien que personne en France, pas plus les soldats que les diplomates, n'acceptaient l'idée d'avoir à lutter le cas échéant sans l'appui anglais et même, sous une forme ou sous une autre, l'appui américain. On ne mesurait pas quel abîme séparait désormais les États-Unis de l'Europe. Et on se trouvait devant ce tragique paradoxe : pour

---

1. Nous développons cette idée dans un article sur « Le problème de la Sécurité française entre les deux guerres », à paraître dans *L'Information historique*.

recréer les conditions politiques et diplomatiques de la sécurité, on risquait d'en sacrifier les conditions militaires.

Le problème ne se posait pas de la même façon en ce qui concerne la modernisation de l'équipement et de l'armement, la motorisation et la mécanisation des unités. Sur ce point, on a souvent souligné le retard des conceptions admises en France sur celles qui prévaudront en Allemagne par exemple. A quoi le général Weygand par exemple répliqua que les crédits de matériel demandés par L'État-major furent gravement amputés, notamment jusqu'en 1928 et après 1932, et que faute de pouvoir expérimenter largement le nouveau matériel, notamment en manœuvres, on ne peut en élaborer la doctrine d'emploi. Il faut constater que, entre la stabilisation du franc et le début de la crise mondiale, la France ne put profiter que pendant peu d'années d'une aisance budgétaire suffisante. En outre, s'agissant de la production en série de matériels lourds et complexes, tanks, automitrailleuses, etc., la France subissait les désavantages d'une base industrielle trop étroite : prix de revient plus élevés, cadences de production plus lentes. Ici, derrière des apparences qui trompèrent longtemps les hommes d'État — et pas seulement les hommes d'État français — le déséquilibre potentiel entre France et Allemagne devait faire sentir tous ses effets.

Vers un torysme français : l'expérience Tardieu

Du début de novembre 1929 au début de décembre 1930, Tardieu — à part un intermède de quelques jours — occupe la Présidence du Conseil. Ce n'est pas une très longue période de pouvoir. Mais — après à nouveau un court intermède — le ministère Laval qui lui succède, de janvier 1931 à février 1932, apparaît surtout comme un ministère de continuation de l'expérience Tardieu et d'expédition des affaires courantes. En février 1932 c'est encore Tardieu qui revient au pouvoir, jusqu'aux élections. Il n'est pas excessif de dire que, depuis la retraite de Poincaré, c'est la personnalité de Tardieu qui domine la législature.

Ce personnage très affirmé va tenter de donner à la vie politique française une allure nouvelle et originale. De même que Disraeli, au siècle précédent, avait fait du vieux parti conservateur anglais — les « tories » — un parti réformateur et tourné vers l'avenir, de même Tardieu, qui ne se rattache par ses origines ni à la gauche ni à la droite « classiques », va se fixer comme ambition la modernisation du pays. Ne se passionnant pas pour la politique intérieure, et laissant désormais à Briand l'essentiel de la politique extérieure, Tardieu va s'appliquer avant tout aux questions économiques et sociales. Répudiant aussi bien le marxisme que la politique traditionnelle de « laisser-faire » et de rigueur financière, il va fixer délibérément comme objectif essentiel de son gouvernement le progrès économique et le progrès social. Pour cela il cherche d'abord à constituer un ministère de large concentration, en offrant aux radicaux de nombreux postes — que ceux-ci refusent pour la plupart. Il n'en conserve pas moins le programme social qu'il leur avait proposé, et qui comprenait notamment la mise en œuvre d'un système d'assurances sociales et d'allocations familiales, et la gratuité de l'enseignement secondaire. C'étaient là des mesures que les radicaux eux-mêmes réclamaient, ce qui amena Tardieu à leur dire au cours d'un débat assez vif : « Ne tirez pas sur moi tandis que je porte vos enfants dans mes bras ! » Mais, dans sa pensée, ce programme social faisait partie d'un ensemble. Profitant de l'aisance monétaire qu'avaient ramenée la politique de Poincaré et la stabilité du franc, Tardieu ne se contentait pas de faire mettre en chantier les travaux de la Ligne Maginot, depuis longtemps étudiés ; il proposait, sous le signe de la « Prospérité », un programme d'outillage national. Déjà, gérant dans le cabinet Poincaré le portefeuille des Travaux Publics, il s'était attaché à la rénovation du réseau routier et à l'électrification des campagnes tout en achevant la reconstruction des régions dévastées ; maintenant il élargit ses projets à la mécanisation de l'agriculture, à la modernisation de l'industrie, à la construction d'écoles, d'hôpitaux et de laboratoires, etc.

Tardieu se heurta à une opposition si violente, que le programme d'outillage national ne passa jamais dans les faits [1]. Il y a à cela plusieurs raisons. D'abord, ayant suscité trop d'espoirs, il fut bientôt victime de la surenchère des appétits qu'il ne pouvait tous satisfaire. Puis, ses innovations hardies tendaient à transformer complètement les bases du débat politique, et devaient par là même se heurter aux partis constitués pour mener les luttes traditionnelles, et en premier lieu au parti radical qu'il menaçait tout spécialement en lui « volant » son programme. Mais la personnalité même de Tardieu fut pour beaucoup dans l'hostilité qu'il souleva. Son tempérament combatif, son allure dominatrice, ses répliques à l'emporte-pièce, le rendaient peu propre à réaliser une large union autour de projets d'intérêt général. Ses manières de grand bourgeois parisien suscitaient la méfiance d'un personnel politique composé largement, surtout au Sénat, de notables provinciaux aux vues moins larges et plus prudentes, au maintien plus raide. En outre, la gauche tenait rigueur à Tardieu de son passé, surtout de la vive opposition qu'il avait manifestée à Briand durant la législature 1919-1924.

En somme, Tardieu se heurta à la même incompréhension que la plupart des précurseurs. Car beaucoup des idées qu'il lança sont maintenant communément admises. Ce n'est pas que sa conception de l'État mis avant tout au service du bien-être matériel de chacun ne puisse susciter des réserves. On peut pourtant penser que ses projets, s'ils eussent été appliqués avec assez d'ampleur et de continuité, représentaient la façon la plus efficace de lutter contre la dépression économique qui commençait à gagner la France. Mais en fait, son plan se présentait au début comme un moyen d'utiliser des excédents que le ralentissement économique faisait fondre au moment même où on discutait de leur emploi. Et aucun homme politique responsable n'en était encore en France à envisager une politique systématique de déficit budgétaire en temps de crise.

1. La loi du 28 décembre 1930 n'ouvre qu'un crédit de 3 milliards et demi au lieu des 17 primitivement envisagés.

Les élections de 1932 et le nouveau ministère Herriot

Les élections législatives de 1932 furent un succès pour la gauche. Succès plus marqué que celui de 1924 à ne regarder que les chiffres, mais moralement beaucoup moins net. La gauche, depuis les événements de 1926, est beaucoup moins sûre d'elle-même. Il n'y a pas eu, comme en 1924, de Cartel électoral entre radicaux et socialistes avec listes communes, mais simples désistements réciproques de second tour, qui n'engagent pas à grand-chose. Effectivement, après des pourparlers sans grande conviction entre radicaux et socialistes, Herriot constitue au début de juin un ministère essentiellement radical. Les difficultés financières qui réapparaissent l'incitent à la prudence, car il faut à nouveau emprunter à court terme. D'ailleurs le gouvernement va être accaparé par les difficultés extérieures, elles aussi renaissantes, et pour lesquelles il ne peut plus compter sur Briand, qui vient de mourir.

Deux grandes conférences internationales accaparent en effet l'attention. A Genève, la Conférence du Désarmement s'est enfin réunie depuis janvier, et la France est pressée, notamment par l'Angleterre, d'y faire de larges concessions, au moment précis où les événements en Allemagne prennent une tournure menaçante. A Lausanne, on se propose, à la suite d'un nouveau moratoire en 1931, de régler définitivement la question des Réparations. La Conférence du Désarmement n'aboutit pas, mais Lausanne consacre la fin des Réparations.

Il convient de s'arrêter un peu sur ce règlement. Sur les 300 milliards que certains espéraient lui réclamer au début, l'Allemagne en avait finalement payé 20 — essentiellement entre 1924 et 1929. C'est grâce aux crédits étrangers, anglais et surtout américains, qu'elle avait pu alors transférer sans se gêner des sommes malgré tout importantes. Dans ces conditions, la crise financière américaine de 1929, en mettant fin aux exportations de capitaux des États-Unis, devait automatiquement arrêter le paiement des Réparations. Est-ce à dire qu'un autre système aurait pu produire des résultats plus substantiels ?

A plusieurs reprises on avait envisagé des réparations en nature, consistant pour les Allemands à fournir gratuitement des marchandises ou des prestations de services. Ces projets s'étaient heurtés à de vives résistances en France même : l'industrie française craignait la concurrence, les représentants des régions envahies ne souhaitaient pas voir les Allemands revenir, même sous forme de travailleurs venant relever leurs usines. Mais en supposant ces objections surmontées, peut-on penser que les réparations en nature auraient pu prendre une grande extension, jusqu'à couvrir l'ensemble de la reconstruction française (dont le coût total, rappelons-le, fut de l'ordre de 100 milliards de francs) ? Dans ce cas, l'Allemagne aurait dû consentir de très lourdes dépenses sans contrepartie, donc à caractère inflationniste : n'aurait-on pas vu alors le même processus d'effondrement du mark, de manquements et de demandes de moratoire, que l'histoire a enregistré ? En fait, le règlement des réparations était plus encore une question de force et de volonté politique, qu'une question de technique financière ou économique.

Cependant la fin des réparations pose à nouveau le problème des dettes interalliées, d'autant plus que la pression des États-Unis a largement contribué à l'abandon des réparations allemandes. Aussi Herriot s'efforce-t-il d'obtenir un moratoire pour les dettes, dont une fraction arrive à échéance le 15 décembre 1932. Mais le gouvernement américain est intraitable, tandis que l'opinion française, dans sa grande majorité, se refuse au paiement. Herriot se décide à jouer le sort de son ministère sur le respect des engagements pris, et le 14 décembre il est renversé à une énorme majorité ; il n'avait donc pu se faire illusion sur son sort. Aussi certains ont-ils supposé qu'Herriot, se trouvant dans une situation politique inextricable, avait délibérément choisi un « point de chute » commode. Mais il ne faut pas sous-estimer le souci que Herriot manifestait, comme bien d'autres avant et après lui, de maintenir l'unité de vues et d'action avec l'Angleterre, et de ne pas couper tous les ponts avec les États-Unis.

Cet incident parlementaire, qu'on aurait pu croire sans lendemain, peut servir à marquer la fin d'une époque. Jusque-là, la France a gardé le contrôle de son destin, et l'on peut faire l'histoire du pays à travers l'action du personnel politique en place, au Parlement et dans les états-majors des principaux partis. Désormais, le sort de la France va être remis en question par deux événements extérieurs, qui ne sont d'ailleurs pas sans rapports entre eux : la crise mondiale, et l'avènement de Hitler en Allemagne. Et les réactions suscitées par ces événements dans les profondeurs du pays échapperont de plus en plus aux efforts que les chefs politiques responsables pourront faire pour les maîtriser.

CHAPITRE 4

L'ÉCONOMIQUE ET LE SOCIAL

Au moment où les phénomènes économiques et sociaux vont exercer sur le déroulement des événements une influence beaucoup plus directe et plus déterminante qu'ils n'avaient fait jusque-là, il est nécessaire de jeter sur eux un coup d'œil d'ensemble, qui permettra en même temps une connaissance plus approfondie de notre période.

La population

Depuis longtemps, la France est un pays de faible natalité, où la tendance démographique est à la stagnation, voire, à plus long terme, au déclin. Déjà en 1911, il suffit d'une mortalité un peu plus forte que la moyenne pour que les décès (19,5 p. 1 000) l'emportent sur les naissances (19 p. 1 000). Après la guerre, cette tendance se confirme et s'aggrave. Une brève reprise de la natalité suit la démobilisation (21,4 naissances pour 1 000 en 1920, 20,7 en 1921), puis le déclin continue. A partir de 1935 la mortalité, pourtant en régression, est constamment supérieure à la natalité ; en 1938, on compte 14,6 naissances et 15,4 décès pour 1 000 habitants.

Tels sont les chiffres bruts, et ils justifient tous les cris d'alarme.

A l'analyse, pourtant, la réalité se révèle plus complexe. Il faut tenir compte tout d'abord du vieillissement de la population. En 1911, on compte 34 p. 100 d'enfants de 0 à 19 ans, 43 p. 100 d'adultes de 20 à 49 ans, 23 p. 100 de personnes plus âgées. En 1936, les estimations, à défaut de recensement, donnent, pour les mêmes catégories, respectivement 30 p. 100, 43 p. 100 et 27 p. 100. Il en résulte que, même si le nombre moyen d'enfants par famille reste le même, le taux brut de natalité doit tendre à diminuer. C'est ce qui se produit.

Mais il faut également tenir compte des effets de la guerre, qui ne se limitent pas aux hommes tués au combat. On comptait 753 000 naissances en 1914 ; on n'en compte plus que 480 000 en 1915, 382 000 en 1916, 410 000 en 1917, 470 000 en 1918, 503 000 en 1919. Il faut toujours avoir ces chiffres présents à l'esprit pour comprendre comment les problèmes militaires notamment se poseront à partir de 1935. Mais ils ont également, cela va de soi, une répercussion sur les phénomènes démographiques. En 1936, la population féminine de 25 à 29 ans se monte à 1 630 000, celle de 20 à 24 ans à 1 490 000, celle de 15 à 19 ans à 1 140 000, soit une régression de 30 p. 100 ; mais la tranche de 10 à 14 ans compte 1 760 000 filles. Rien d'étonnant que, de 1936 à 1939, le chiffre des naissances soit particulièrement bas ; après quoi, si la guerre de 1939 n'était pas intervenue, il aurait dû remonter de façon sensible.

Les statisticiens ont ainsi rectifié les apparences en calculant le taux net de reproduction : le chiffre 100 représentant une population étale, qui n'a tendance ni à augmenter ni à diminuer, le taux est déjà descendu à 87 en 1911, à 88 en 1914 ; or, les années de guerre naturellement mises à part, il ne descendra pas plus bas ; il se retrouve à 87 en 1935, 88 en 1936, 89 en 1937, 91 en 1938, 93 en 1939. Autrement dit, la tendance au déclin démographique, sensible en France depuis un siècle, ne se poursuit pas ; on assiste à une stabilisation, voire à l'amorce d'un redressement.

Il n'en est pas moins vrai que les pertes de la guerre ne seront pas comblées par l'excédent des naissances sur les décès. Si donc la population globale ne diminue pas, et même augmente quelque peu, cela est dû à l'afflux des étrangers : on en compte entre 1 100 000 et 1 200 000 en 1911, entre 2 700 000 et 2 900 000 en 1931. Il faut signaler en outre que bon nombre de personnes d'origine étrangère ne sont pas comprises dans ces chiffres, par suite des naturalisations volontaires ou automatiques ; on en a évalué le nombre à 450 000 de 1911 à 1926, et plus de 800 000 de 1926 à 1936. Devant cet afflux, des inquiétudes se sont manifestées ; on a craint que la population de la France finisse par perdre son homogénéité, sa cohésion, ses caractères propres. Ce sont là perspectives à long terme. Dans l'immédiat, les travailleurs étrangers sont souvent indispensables à la production et peuvent servir de soupape de sûreté en période de dépression économique : ils sont renvoyés en premier lieu, réduisant ainsi le risque de chômage des nationaux. C'est ainsi que le nombre des étrangers était retombé à 2 564 000 au 1er janvier 1937.

Si la population totale, avec l'apport étranger, est restée à peu près stationnaire, sa répartition a changé. Durant cette période intervient un fait capital, bien que naturellement ses conséquences soient lentes à se faire sentir : la France cesse d'être un pays à prédominance rurale.

	Population (en millions)		
	Totale	Urbaine	Rurale
	—	—	—
1911 (87 départements)	39,6	17,5 (44,2 p. 100)	22,1 (55,8 p. 100)
1921 —	37,5	17,4 (46,3 p. 100)	20,1 (53,7 p. 100)
1921 (90 départements)	39,2	18,2 (46,4 p. 100)	21 (53,6 p. 100)
1926 —	40,7	20 (49,1 p. 100)	20,7 (50,9 p. 100)
1931 —	41,8	21,4 (51,2 p. 100)	20,4 (48,8 p. 100)
1936 —	41,9	21,9 (52,4 p. 100)	20 (47,6 p. 100

Cette évolution assez lente d'allure traduit une transformation profonde de la répartition professionnelle. De 1906 à 1936 [1], le personnel masculin employé dans les services domestiques a diminué de près de 50 p. 100 ; la diminution est de l'ordre de

1. Le recensement de 1911, établi sur d'autres bases, n'est pas utilisable comme terme de comparaison.

25 p. 100 pour l'agriculture et les carrières. Au contraire les effectifs masculins des transports s'accroissent de 40 p. 100 ; l'augmentation est de 25 p. 100 pour les mines, le commerce, les soins personnels, les professions libérales, les services publics ; elle n'est que de 7 p. 100 dans les industries de transformation, mais ce chiffre global dissimule, nous le verrons, de grandes différences suivant les industries.

Contrairement à ce qu'on pourrait croire, la part de l'élément féminin dans la population active a diminué ; mais sa répartition a subi un véritable bouleversement. La population active féminine, entre 1906 et 1936, s'est accrue de 140 p. 100 dans les services publics, de 80 p. 100 dans les professions libérales, de 50 p. 100 dans les transports, de 40 p. 100 dans le commerce et les soins personnels ; elle a diminué de 10 p. 100 dans les services domestiques, de 20 p. 100 dans l'agriculture, de 20 p. 100 dans les industries textiles et 50 p. 100 dans le travail des étoffes. Or ces deux derniers groupes étaient auparavant les grands utilisateurs de main-d'œuvre féminine. Il y a là véritable substitution d'une société à une autre : celle du XIXe siècle reposait sur le principe de la femme au foyer, le travail féminin n'étant qu'un appoint financier pour les classes les plus pauvres (encore s'agissait-il souvent de très jeunes filles). Dans la société du XXe siècle — et l'évolution a été précipitée en France par la guerre, la femme devant souvent remplacer le mari mobilisé — le métier exercé au dehors devient un instrument d'émancipation de la femme adulte des classes moyennes ; les rapports familiaux, notamment, s'en trouvent transformés.

L'agriculture

Comme on l'a vu, le nombre des agriculteurs diminue sensiblement : il passe de 8 777 000 en 1906 à 7 097 000 en 1936. On enregistre parallèlement une réduction des surfaces cultivées : celles-ci, entre 1911 et 1936 (en excluant l'Alsace-Lorraine pour rendre les comparaisons possibles), sont tombées de

36 729 000 hectares à 34 704 000. La surface occupée par les villes, les voies de communication, etc. a augmenté dans le même temps de 1 160 000 hectares ; les bois et forêts ont gagné 940 000 hectares. Il y a donc eu assez peu de terres réellement « abandonnées », et il s'est agi la plupart du temps de terres trop pauvres pour faire vivre ceux qui les cultivaient. Le rapport du nombre d'agriculteurs à la surface cultivée est resté à peu près le même, et l'exode rural — dont on fait grand bruit à l'époque — n'a guère porté que sur les salariés et les tout petits exploitants, c'est-à-dire ceux qui vivaient le plus difficilement. Ce qu'il faut souligner, c'est qu'avec une main-d'œuvre décroissante et sur une surface réduite, la production agricole globale ne diminue pas, et même tend à augmenter :

INDICE DE LA PRODUCTION AGRICOLE [1]
(1913 = 100)

1910-1913	92	
1919-1922	77	(remise en état des régions dévastées)
1923-1926	90	
1927-1930	99	
1931-1934	105	

Ainsi les dévastations apportées par la guerre, dans certaines des régions agricoles les plus riches, cessent de faire sentir leurs effets vers 1924 — qui est, nous l'avons déjà vu, le moment où la reconstruction s'achève. Et les progrès de la production s'intensifient dans la période suivante.

Il s'agit là de chiffres globaux, mais naturellement les divers produits évoluent de façon différente, pour s'adapter à des habitudes de consommation qui elles-mêmes se transforment. En 1920 — sur l'ensemble du territoire cette fois — les terres labourables couvrent 22 590 000 hectares, les prairies permanentes 10 878 000 hectares, les vignes 1 579 000 hectares, les cultures maraîchères 296 000 hectares. En 1938 nous retrouvons

1. Les récoltes variant beaucoup d'une année à l'autre selon les conditions climatiques, nous en avons regroupé les résultats en calculant des moyennes sur 4 ans.

20 196 000 hectares de terres labourables, 11 775 000 hectares de prairies, 1 605 000 hectares de vignes, 437 000 hectares de cultures maraîchères. L'extension des cultures maraîchères reflète la croissance de la population urbaine. La réduction des emblavures au profit des prairies traduit le fait que les Français ont tendance à consommer moins de pain et davantage de viande. L'espèce bovine, en particulier, passe de 13 217 000 têtes en 1920 à 15 622 000 têtes en 1938. La production de pommes de terre, de son côté, augmente très fortement : 116 millions de quintaux en 1920, 173 en 1938 ; le « bifteck aux pommes frites » devient l'élément essentiel de la cuisine française ; et le triomphe de ce plat vite cuit sur les préparations longuement mijotées, reflète une profonde transformation des mœurs.

Dans l'ensemble, donc, la situation de l'agriculture ne paraît pas défavorable, l'augmentation du rendement compensant, et au-delà, la diminution des moyens employés. C'est ce que fait ressortir le calcul suivant [1] :

PRODUIT TOTAL DE L'AGRICULTURE,
EN MILLIONS DE FRANCS

(à prix constants, base 1905-1913)

1905-1913	10,265
1920-1924	10,417
1925-1934	11,817
1935-1938	11,753

Et pourtant les agriculteurs se plaignent : selon eux, leurs prix de revient sont trop élevés, leurs prix de vente à la fois trop bas pour leur assurer une rémunération convenable, et trop chers pour leur permettre l'exportation. Par contre, leurs dépenses ne cessent d'augmenter. Ces griefs sont trop généraux, et les situations réelles des agriculteurs beaucoup trop variées, pour permettre des calculs précis. Il paraît excessif de soutenir qu'en moyenne la condition du cultivateur connaît une régres-

---

1. Art. de JAN MARCZEWSKI : *Y a-t-il eu un « take-off » en France ?* Cahiers de l'I. S. E. A. supplément n° 111, mars 1961.

sion. Mais il est probable — et l'exode rural confirme cette hypothèse — que dans l'ensemble le progrès économique est moins sensible à la campagne qu'à la ville.

L'industrie

Le progrès industriel apparaît en effet, jusqu'à la crise, beaucoup plus marqué que le progrès agricole.

PRODUIT TOTAL DE L'INDUSTRIE, en millions de francs [1]
(à prix constants, base 1905-1913)
(moyenne annuelle)

1905-1913	14,520
1920-1924	14,828
1925-1934	19,750
1935-1938	17,003

INDICE DE LA PRODUCTION INDUSTRIELLE

1911	100	1932	98
1913	109	1934	100
1920	67	1935	96
1924	118	1936	103
1926	127	1937	109
1928	121	1938	100
1930	133		

Ce développement correspond tout d'abord à une augmentation du personnel. L'industrie et les transports occupaient ensemble 7 225 000 individus en 1906, 8 464 000 en 1931, l'effectif retombant à 7 415 000 en 1936. Il est néanmoins visible, si l'on rapproche le produit total du nombre d'employés, que la productivité moyenne du travailleur s'est sensiblement accrue. Ce fait est dû pour une large part à l'utilisation croissante de la force motrice. Pour l'ensemble des industries manufacturières, la

1. J. MARCZEWSKI, art. cit.

Établissements employant	Nombre d'établissements			Nombre de personnes occupées		
	1906	1921	1926	1906	1921	1926
2 à 5 personnes	596 811	453 864	485 115	1 650 259	1 294 573	1 404 250
6 à 20 —	55 004	56 625	69 786	613 554	642 516	818 963
21 à 100 —	17 312	22 248	26 296	755 207	968 483	1 137 508
101 à 500 —	3 950	4 985	5 944	804 344	987 659	1 176 202
Plus de 500 —	611	716	953	742 437	961 102	1 304 155

puissance disponible par ouvrier est de 0,90 CV en 1906, 1,78 CV en 1926, 2,41 CV en 1931 ; la puissance disponible totale se monte à 2 565 000 CV en 1906, 6 917 000 en 1926 ; 9 200 000 en 1931. Ces quelques chiffres permettent déjà de se faire une idée de l'ampleur du progrès technique.

Cette évolution est à mettre en liaison avec la concentration des établissements industriels. Mais sur ce point, l'état du matériel statistique commande une très grande prudence. Rappelons cependant les chiffres donnés par une étude qui fait autorité [1] (voir page ci-contre).

Mais en même temps que l'indéniable tendance à la concentration, il faut noter l'extrême dispersion qui subsiste. La France demeure, dans l'industrie comme dans l'agriculture, un pays de petites et moyennes entreprises.

Si l'on quitte ce niveau de généralité, on s'aperçoit que les différentes industries ont connu des fortunes très diverses. Certaines industries traditionnelles, qui jusque-là occupaient les premières places, ont subi un profond recul. C'est le cas, en premier lieu, des industries textiles.

PERSONNEL OUVRIER DANS L'INDUSTRIE DU COTON

Année	Personnel	Année	Personnel
1920	196 700	1935	163 800
1925	198 100	1938	156 700
1930	197 000		

SOIE FILÉE (en tonnes)

Année	Tonnes	Année	Tonnes
1913	654	1930	174
1920	292	1935	160
1925	345	1938	118

Le travail des étoffes, les cuirs et peaux sont également en déclin.

Par contre, d'autres industries anciennement établies apparaissent toujours en pleine croissance, au moins jusqu'en 1930.

1. Celle de M. DE VILLE-CHABROLLE, Bulletin S.G.F., avril-juin 1933.

Et le fait est d'autant plus intéressant qu'il s'agit d'industries de base.

Production (en milliers de tonnes)

	Charbon	Minerai de fer	Fonte	Acier
	—	—	—	—
1913	40 844	21 918	5 207 [1]	4 687 [1]
1920	25 261	13 922	3 434	2 706
1925	48 091	35 598	8 494	7 464
1930	55 057	48 571	10 035	9 444
1935	47 119	32 046	5 789	6 255
1938	47 562	33 132	6 012	6 137

Pour les productions minières, l'apport de la Lorraine désannexée est évidemment de première importance.

D'autres industries, plus modernes, connaissent un essor considérable. Les effectifs de l'industrie chimique passent de 127 000 personnes en 1906 à 210 000 en 1936, ceux des constructions mécaniques de 758 000 en 1906 à 1 436 000 en 1931 (1 100 000 environ en 1936). Parmi ces dernières, l'automobile devient durant cette période une des principales industries françaises.

Production d'automobiles (en milliers)

1913	45	1930....................	231
1920	40	1935....................	165
1925	177	1938....................	227

Enfin la France entre dans l'ère de l'électricité :

Consommation + pertes (millions de kWh)

1913..................	1 800	1930	17 200
1920..................	3 500	1935	17 800
1925..................	11 400	1938	21 100

Ces quelques statistiques, malgré leur caractère défectueux, suffisent à faire apparaître l'industrie française de cette époque

1. Non compris l'Alsace-Lorraine.

comme singulièrement vivante et dynamique, en contraste accusé avec la stagnation démographique.

Les deux phases de la conjoncture

Mais en même temps on aperçoit déjà que l'évolution économique, même durant cette période assez courte, n'est nullement continue. Une comparaison avec quelques pays étrangers va mettre encore mieux en évidence l'ampleur de ses variations dans un sens et dans l'autre.

TAUX DE CROISSANCE ANNUEL [1]

	1922-1929	1929-1937
	—	—
Japon	+ 6,5 p. 100	+ 3,6 p. 100
Allemagne	+ 5,7 —	+ 2,8 —
France	+ 5,8 —	— 2,1 —
Italie	+ 2,3 —	+ 1,9 —
Royaume Uni	+ 2,7 —	+ 2,3 —
États-Unis	+ 4,8 —	+ 0,1 —

Ainsi l'économie française a connu jusque vers 1930 un taux de croissance comparable aux meilleurs ; mais la France est le seul des grands pays à enregistrer après 1930 une régression marquée et surtout durable. L'étude de la phase de régression est trop liée à la politique générale pour ne pas être réservée à des chapitres ultérieurs [2]. Par contre, nous devons chercher maintenant l'explication de ce phénomène trop souvent méconnu : la vive croissance de l'économie française jusqu'en 1930. Un facteur initial et déterminant en est sans doute l'ampleur des besoins non satisfaits accumulés pendant la guerre, auxquels se sont

1. D'après : Bulletin S. E. D. E. I. S., n° 804 supplément 1er décembre 1961.
2. Voir chap. VI et VII.

ajoutés les besoins nouveaux de la reconstruction. Mais ces besoins matériels internes n'expliquent pas tout. On constate en effet que, alors que la France d'avant-guerre importait plus qu'elle n'exportait, c'est au moment même où les besoins intérieurs deviennent plus pressants que les exportations égalent et même surpassent les importations.

Millions de francs courants

	Importations	Exportations
1911	8 066	6 077
1912	8 231	6 713
1913	8 421	6 880
1920	49 905	26 894
1921	22 754	19 772
1922	24 275	21 379
1923	32 859	30 867
1924	40 163	42 369
1925	44 095	45 755
1926	59 598	59 678
1927	53 050	54 925
1928	53 436	51 375
1929	58 221	50 139
1930	52 511	42 835

Là encore cette modification de l'équilibre des échanges est, dans une certaine mesure, nécessitée par la guerre : au cours de celle-ci, la France a perdu, ou dû liquider une très large part de ses avoirs à l'étranger, dont les revenus pouvaient permettre, avant-guerre, de combler le déficit commercial [1]. Mais surtout la production et le commerce sont stimulés, durant la plus grande partie de cette période, par l'inflation et la dépréciation de la monnaie. Et cela de plusieurs manières ; l'inflation entraîne la hausse des prix, qui permet de beaux bénéfices à ceux qui vendent, et qui allège les dettes des entreprises. D'autre part, la dépré-

1. Nous ne donnerons pas de chiffres concernant la balance des comptes, celle-ci étant à cette époque largement conjecturale.

ciation de la monnaie rend les prix français, même en hausse rapide, comparativement moins élevés que ceux des pays à monnaie stable ; de la sorte, les importations sont contrariées, et les exportations favorisées. Et ce sont précisément les années de crise du franc, de 1925 à 1927, qui font apparaître des excédents de la balance commerciale.

Néanmoins, même compte tenu des facteurs temporaires que sont les suites de la guerre et la chute du franc, le dynamisme de l'économie française est indéniable.

Les transformations structurelles

A travers ces violentes fluctuations de conjoncture, les structures économiques et sociales de la France se transforment profondément, bien qu'il soit difficile de donner une mesure précise de ces changements. Il est probable que la capacité de production française s'est fortement accrue, mais la richesse acquise reste stagnante ou même diminue. Le patrimoine privé se répartit en moyenne à raison de 5 055 F par habitant en 1908, et 20 683 F en 1934 ce qui, compte tenu de la dévaluation des 4/5 de la monnaie, équivaut à une véritable diminution (il est vrai que 1934 est une année de crise intense). La répartition de ce patrimoine s'est également modifiée : les valeurs étrangères, qui représentaient 13,3 p. 100 de la fortune privée en 1908, n'en constituent plus que 3,2 p. 100 en 1934 : on mesure ici l'importance des pertes et liquidations forcées de la période de guerre. Par contre, les fonds de commerce et les immeubles agricoles tiennent une place croissante : l'inflation leur a été favorable [1].

Si la fortune acquise a diminué, la masse des revenus au contraire tend à augmenter, passant de 36,1 milliards de francs courants en 1913 à 199,1 milliards en 1936 (où, pour la plus grande partie de l'année, le franc est encore au 1/5 de sa valeur d'avant-guerre).

---

1. Nous empruntons ces chiffres à PAUL CORNUT, *Répartition de la fortune privée en France...* (Paris, 1963).

Surtout, la répartition de ces revenus s'est profondément modifiée :

Origine des revenus :

	1913		1936	
	Milliards de francs	Importance relative	Milliards de francs	Importance relative
Propriété foncière, valeurs mobilières	9,2	25,4 p. 100	41	21 p. 100
Salaires en nature et en argent	14,7	40,6 p. 100	97,3	49 p. 100
Produits des entreprises et travaux indépendants	11,2	31 p. 100	40,8	20 p. 100
Retraites, rentes viagères, assistance	1	3 p. 100	20	10 p. 100
	36,1		199,1	

Ainsi, la redistribution des revenus selon des tendances jugées socialement souhaitables a déjà fait durant cette période des progrès considérables. Les revenus du capital ont reculé ; les profits des entreprises ont connu ce qui paraît être un véritable effondrement, mais il faudrait pouvoir distinguer (ce qui n'est pas fait ici) ce qui correspond à une éventuelle réduction des bénéfices des entreprises vivantes, de ce qui traduit la disparition des petites exploitations agricoles ou artisanales. La part des salaires a augmenté, jusqu'à atteindre à peu près la moitié du total. Mais le développement le plus spectaculaire est celui des retraites et des pensions ; il peut s'expliquer, dans une faible mesure, par le vieillissement de la population, dans une mesure plus notable, par les conséquences de la guerre ; mais il traduit aussi les effets, nécessairement lents, de lois particulières antérieures à 1914 et de la loi des assurances sociales, votée par la Chambre du Bloc National avant les élections de 1924, et adoptée définitivement en avril 1928 sur l'insistance du ministère Poincaré [1].

1. Cf. Antoine Prost, *Jalons pour une histoire des retraites et des retraités 1914-1939* (Revue d'histoire moderne et contemporaine, octobre-décembre 1964).

Il serait nécessaire, pour compléter ce tableau, de voir comment ces revenus sont dépensés ; malheureusement, on ne peut disposer ici que d'études très fragmentaires, dont la valeur représentative peut toujours être contestée. Nous nous bornerons, pour tenir compte de l'importance prépondérante des salaires, à reproduire la répartition des dépenses établie par M. Halbwachs pour quelques familles d'ouvriers parisiens :

	1907		1936-1937	
	—		—	
Nourriture	62	p. 100	52	p. 100
Logement	15,8	—	6,6	—
Chauffage-Éclairage	5,3	—	7,1	—
Mobilier-Entretien		—	4,5	—
Habillement	7,75	—	10,6	—
Autres dépenses	9,15	—	19,2	—

La part moindre (quoique encore très importante) consacrée à l'alimentation, les sommes plus considérables affectées à l'habillement, dénotent pour les familles ouvrières de 1936-37 un niveau de vie sensiblement plus élevé. La chute des dépenses du logement correspond à un fait circonstanciel très important : à partir de 1921 sont promulguées une série de lois limitant la hausse des loyers ; politique qui s'expliquait à l'origine par le souci d'atténuer les effets sociaux de l'inflation de guerre, mais dont les conséquences, à la longue, se révélèrent graves : la construction et même l'entretien des locaux d'habitation cessèrent, en effet, d'être rentables pour des propriétaires privés, alors que l'habitude de vivre en location demeurait la règle dans les villes ; il s'ensuivit une crise du logement quasi permanente qui est un des traits caractéristiques de cette période.

Quant aux dépenses diverses, ne concluons pas trop vite qu'elles indiquent une part désormais très large accordée au superflu ; en fait, elles sont essentiellement consacrées aux soins de santé et aux transports, mais très peu aux distractions. Il faut faire enfin une place aux impôts ; place encore modeste pour les salariés, beaucoup plus importante pour d'autres catégories sociales. La moyenne d'impôts perçus par habitant s'élève en 1908 à 51 F, et en 1934 à 729 F [1] ; elle est donc multipliée par deux fois et demi, compte tenu de la dépréciation monétaire. Ainsi, sans qu'il y ait là application d'une doctrine systématique, l'État devient un redistributeur de revenus de plus en plus important.

Le mouvement ouvrier

La Grande Guerre, bouleversant dans ses profondeurs la société française, a en particulier déterminé un profond changement d'orientation du mouvement syndical. Avant 1914, le syndicalisme ouvrier français, pratiquement unifié au sein de la Confédération Générale du Travail (C.G.T.), était dominé par une conception révolutionnaire, d'inspiration en partie anarchiste, hostile à l'État, internationaliste, comptant notamment empêcher une nouvelle guerre par une tactique de refus, concrétisée par la grève générale.

L'éclatement de la guerre de 1914 marqua l'effondrement de cette conception. Pas un moment il n'apparut possible d'entraver par la grève les opérations de mobilisation. Bien plus, un très grand nombre de syndicalistes se retrouvèrent moralement à l'unisson du reste du pays. Sans doute, la lassitude née de la guerre d'usure aidant, une minorité syndicale d'abord faible, puis rapidement croissante, amorça une action pour le rétablissement de la paix, même sans victoire, et pour la reprise des relations internationales. Néanmoins, l'ensemble de la C.G.T. fut amené par la force des choses à ne plus ignorer l'État désormais tout puissant, et à pratiquer vis-à-vis des organismes publics la politique de la présence. Les modes traditionnels de lutte, la grève en particulier, sont devenus difficiles, voire impossibles à mettre en œuvre tant que la guerre dure ; pourtant la défense des travailleurs est une tâche de chaque jour. Aussi la C.G.T. participe-t-elle aux commissions permanentes de conciliation et d'arbitrage, aux commissions paritaires pour la fixation des

1. P. Cornut, *op. cit.*

salaires des ouvriers à domicile, à la nomination de délégués ouvriers dans les usines ; son secrétaire général, Léon Jouhaux, prend place au Comité de Secours National.

Après la paix de 1919, la situation sera très différente de ce qu'elle était auparavant. D'abord le mouvement syndical, d'unique, devient multiple, avec trois organisations centrales : la C.G.T. [1], la C.G.T.U. (Confédération Générale du Travail Unitaire), la C.F.T.C. (Confédération Française des Travailleurs Chrétiens). Ensuite, les conceptions, et surtout la pratique des mouvements syndicaux, seront profondément transformées.

Le syndicalisme chrétien, lent à se dégager des formules corporatives ou de syndicalisme mixte (patrons et salariés réunis), ne s'était guère développé avant 1914 que parmi les employés. La guerre lui apporta l'exemple des syndicats chrétiens belges repliés en France, et la paix un renfort massif de syndiqués d'Alsace-Lorraine. La C.F.T.C. se constitue en novembre 1919, et compte au départ environ 150 000 adhérents ; elle aura pendant longtemps de la peine à faire reconnaître son existence et sa représentativité. Elle n'en exercera pas moins une influence certaine, mais difficile à définir brièvement, d'autant plus que sa doctrine économique et sociale, quoique se réclamant toujours des Encycliques pontificales « Rerum Novarum », puis « Quadragesimo Anno », n'en connaîtra pas moins une évolution assez rapide.

Le processus de formation de la C.G.T.U. est tout différent : cette nouvelle centrale est issue d'une scission de la C.G.T., scission analogue à celle qui sépare peu auparavant les socialistes et les communistes. Dans un cas comme dans l'autre, l'origine en est l'ébranlement international causé par la Révolution russe, et renforcé par les difficultés économiques de la démobilisation. Mais, alors que la majorité des socialistes avaient voté le rattachement à la IIIe Internationale de Moscou (décembre 1920)

1. Rappelons ici aux plus jeunes de nos lecteurs que ce vocable a de nouveau complètement changé de contenu après la seconde Guerre Mondiale. La C.G.T. de 1919 à 1935 correspond en gros à ce qu'est de nos jours la C.G.T.F.O., tandis que la C.G.T. actuelle prend la suite de la C.G.T.U.

dans l'attente d'une révolution européenne qui semblait imminente, c'est la déception causée par l'échec des grandes grèves de 1919 et 1920 qui dresse contre le Bureau Confédéral, accusé de mollesse, une minorité croissante. Le Congrès de Lille (juillet 1921), par 1 572 mandats contre 1 325, refuse « d'accommoder l'autonomie nécessaire et totale du syndicalisme aux visées d'un parti politique ou d'un gouvernement quels qu'ils soient » (c'est du gouvernement soviétique et du parti communiste qu'il s'agit en l'espèce) et condamne, d'autre part, les organisations de tendance. Devant cette mise en demeure, les minoritaires s'en vont, et à la fin de l'année constituent la C.G.T.U.

Mais celle-ci groupait deux éléments révolutionnaires très différents : les libertaires, héritiers des doctrines et du tempérament de l'anarcho-syndicalisme d'avant-guerre, très méfiants à l'égard de l'État et de l'activité politique ; et les bolcheviks qui ne pouvaient concevoir l'action qu'en liaison étroite avec le parti communiste et l'Internationale dont il dépendait. Progressivement ces derniers l'emportèrent, mais ce fut au prix d'un effritement de la C.G.T.U., dont les effectifs tombèrent de 500 000 membres à 200 000 entre 1922 et 1935.

Au contraire, les adhérents de la C.G.T. passent de 370 000 en 1922 à 740 000 en 1930 [1]. Désormais y domine l'élément réformiste, déjà présent avant 1914. Mais avant même la scission, la C.G.T. s'engageait dans des voies nouvelles. La collaboration pratique du temps de guerre l'avait marquée, et beaucoup de ses membres s'intéressaient ardemment à la construction de la paix et aux organisations nouvelles qu'on s'efforçait de créer, la Société des Nations et le Bureau International du Travail. On a pu dire que désormais la vieille mystique du syndicalisme révolutionnaire se trouvait remplacée par la mystique « genevoise » [2]. Mais à l'intérieur même du pays, le souci exclusif de la lutte sociale,

1. Nous reproduisons ici les évaluations d'auteurs particulièrement compétents. Néanmoins nous les donnons sous toutes réserves, le recensement des effectifs syndicaux étant toujours délicat.

2. On sait que la Société des Nations et le Bureau International du Travail avaient leurs sièges à Genève.

la méfiance à l'égard de l'État et de toutes les institutions où il peut intervenir, font place à des préoccupations constructives assez nouvelles. Après avoir demandé en vain au gouvernement d'instituer un Conseil National Économique, la C.G.T. réunit en janvier 1920 un Conseil Économique du Travail, et celui-ci lance une formule appelée à un grand avenir, celle de nationalisation de certaines entreprises. Formule très neuve, parce qu'elle se situe dans le cadre de la nation, que le syndicalisme révolutionnaire d'avant-guerre affectait souvent d'ignorer ; parce qu'elle ne se réfère plus exclusivement à l'intérêt des ouvriers, mais fait place à celui des consommateurs et à l'intérêt général de la collectivité ; enfin parce qu'au lieu de viser à supprimer l'État, elle lui reconnaît une fonction de contrôle, voire même la suprématie.

Dès lors, tout en maintenant son indépendance vis-à-vis des partis, la C.G.T. n'hésite pas à intervenir dans des questions purement politiques : elle prend position en 1923 contre l'occupation de la Ruhr, présente un programme minimum aux candidats aux élections législatives de 1924 et favorise l'avènement du Cartel des Gauches : elle envoie en 1924 un délégué à l'Assemblée de la S.D.N. ; enfin elle jouera, nous le verrons, un rôle déterminant dans la formation et l'action du Front Populaire.

Avant même cet événement, la période est marquée par d'importantes mesures de législation sociale : la loi du 25 mars 1919 sur les conventions collectives, surtout la loi d'avril 1919 instituant la journée de huit heures. Plus tard, après une période d'élaboration assez longue, sont votées en 1929 la loi des assurances sociales, et en mars 1932 une loi généralisant les allocations familiales. Toutes ces lois, remarquons-le, n'ont pas été menées à terme par des ministères de gauche, mais par des gouvernements du Centre ou d'union nationale. Elles correspondaient donc à une évolution générale des esprits, à leur adaptation à une situation nouvelle. Il est permis d'y voir un signe de la transformation même de la France, qui n'est plus en majorité rurale, et où les salariés, ouvriers et employés, deviennent un objet de préoccupation fondamental des pouvoirs publics.

CHAPITRE *5*

L'OUTRE-MER

Passées la guerre de 1914-1918 et ses conséquences immédiates, le domaine français d'outre-mer entre dans une phase nouvelle. La période d'acquisition est, pour l'essentiel, terminée. Le problème est désormais presque exclusivement pour la France de savoir ce qu'elle va faire de ses possessions. Depuis longtemps déjà certains y réfléchissent ; mais deux tendances, deux écoles de pensée se distinguent nettement, s'opposent même si l'on considère les perspectives d'avenir. L'une, qu'on pourrait appeler la tendance anglaise, s'est illustrée en pratique par de nombreux exemples, mais se laisse malaisément définir en termes généraux. Disons que pour l'Angleterre la colonisation vise avant tout à établir un système de relations, principalement mais non exclusivement commerciales ; il ne s'agit pas d'assimiler les indigènes, ni d'importer outre-mer les institutions métropolitaines ; au contraire, on utilisera le plus possible les cadres et les rouages d'autorité préexistants. Ce n'est pas que la civilisation britannique renonce à rayonner, mais elle le fait par l'exemple, non par action directe, et ne cherche pas à s'imposer. L'aboutissement normal d'une colonisation ainsi conçue, est l'autonomie progressive des colonies, et finalement l'indépendance. Dans l'intervalle, le génie fédératif des Anglais s'y prêtant, se seront créés des liens de toute nature, assez souples et assez tenaces pour résister aux changements de statut politique. En attendant, les colonies doivent naturellement être rentables, immédiatement ou à bref délai, car la colonisation ne saurait être philanthropie pure ; aussi les considérations économiques jouent-elles, dans l'acquisition comme dans l'administration des territoires, un rôle de première importance.

L'autre tendance est au fond d'inspiration romaine. La France elle-même est le fruit d'une romanisation contre laquelle il ne s'est jamais produit de réaction profonde. Dans cette conception, les institutions administratives et les services publics de la métropole sont transportés aux colonies tels quels, ou avec le minimum d'adaptations exigées par les conditions naturelles différentes ; les idées également qui prévalent en France sont valables pour tous les hommes. En outre, l'instinct centralisateur qui a fait la France s'accommode très mal des autonomies locales. Mais l'aboutissement logique du système est — au bout d'une période d'éducation plus ou moins longue — la généralisation des institutions politiques de la métropole, la constitution d'un vaste Empire de citoyens égaux sans distinction d'origine : c'est bien à quoi avait abouti l'Empire romain.

La politique coloniale française est tiraillée entre ces deux tendances. Beaucoup de ses théoriciens prennent en tout l'Angleterre pour modèle. C'est également la tendance du Ministère des Affaires Étrangères, de qui relèvent en principe les protectorats, Tunisie et Maroc en particulier. Mais l'instinct français va en sens contraire. Chefs civils ou militaires — bien qu'ils soient capables tout autant que leurs homologues britanniques de comprendre et d'aimer les particularités des pays et des peuples qu'ils dirigent — ne peuvent faire autre chose que de prolonger ou de recréer la France au-delà des mers. Devant cette tâche — et en dépit d'espérances irraisonnées de trouver ou de faire naître de nouveaux Eldorados — les considérations économiques passent au second plan. Du même coup, ceux même qui envisagent l'indépendance pour certains territoires dans un avenir très lointain, n'imaginent pas que cette indépendance pourrait faire disparaître une partie de l'œuvre française. Mais inversement, bien qu'une partie du personnel politique parisien admette depuis longtemps la nécessité logique d'accorder tôt ou tard aux indigènes les pleins droits politiques des citoyens français, rien n'est fait pratiquement pour préparer cette solution. A peine crée-t-on çà et là des assemblées locales consultatives et en partie nommées par l'autorité, qui ne réussiront jamais à s'affirmer et à exercer une influence notable.

Le problème de finalité de l'œuvre coloniale est posé avec une acuité particulière par la fin de la guerre et l'effondrement de l'empire turc. La Turquie, en effet, perd toutes ses dépendances arabes, dont plusieurs — les plus favorisées en ressources — sont constituées en mandats de la Société des Nations, et attribuées provisoirement à la France et à l'Angleterre, à charge pour ces deux nations de les préparer et de les acheminer à l'indépendance [1]. La France, pour sa part, recevait la Syrie et le Liban. C'était là le résultat du rôle assumé, depuis des siècles, par la France pour la protection des Lieux Saints et des chrétiens d'Orient — et aussi des tractations complexes qui s'étaient déroulées pendant la guerre entre Anglais et Arabes, Anglais et Sionistes, Anglais et Français. Sans entrer dans le détail, rappelons que l'accord franco-anglais Sykes-Picot de mai 1916 promettait à la France la mise sous son administration directe de la partie côtière de Syrie, c'est-à-dire essentiellement du Liban ; pour l'intérieur — la Syrie proprement dite — la France n'aurait qu'une simple influence économique et technique. Cette mainmise envisagée de la France sur le Liban correspondait au désir de protéger, conformément à la tradition, les importants éléments chrétiens — surtout Maronites — qui s'y trouvaient, et à la nécessité d'aider au relèvement d'un pays qui avait particulièrement souffert de la guerre. Mais ces motifs ne valaient pas pour l'intérieur de la Syrie. D'autre part, certains Anglais avaient promis à certains chefs arabes — les formules générales ne sont pas ici de mise — de donner à l'ensemble de l'Arabie l'indépendance et l'unité si celle-ci se soulevait contre les Turcs. La Conférence

1. Il y avait d'autres types de mandats de la S.D.N. — par exemple, en Afrique le Togo et le Cameroun — qui ne comportaient pas cette clause d'indépendance ; ils se fondront dans les ensembles coloniaux déjà existants et ne seront pas traités à part ici.

de la Paix aboutit à des solutions toutes différentes. Aussi, lorsqu'en mars 1920 la France voulut se prévaloir des droits que les traités venaient de lui reconnaître, fit-elle sans grande difficulté admettre son autorité au Liban ; mais en Syrie elle se heurta à un État déjà constitué, qui à la vérité n'était pas purement syrien, puisqu'il reconnaissait comme roi le prince Fayçal. de la dynastie hachémite du Hedjaz [1] ; néanmoins elle ne put s'imposer que par une démonstration de force, et ne cessa de se trouver ensuite en conflit avec un nationalisme syrien intransigeant, dont les exigences étaient inconciliables non seulement avec les vues françaises, mais avec les termes même des traités [2]. Aussi le régime constitutionnel prévu lui aussi par le traité — s'il parvint tant bien que mal à fonctionner au Liban — ne réussit pas à s'établir en Syrie. Cependant l'administration française se mettait à l'œuvre, plus soucieuse d'efficacité que de respect des coutumes locales. On peut presque dire que c'est un excès de bonne administration qui provoqua en 1925 le soulèvement du Djebel Druse, soulèvement qui gagna un moment une grande partie de la Syrie. La révolte armée fut réprimée, mais l'agitation politique demeura, et, par le canal des émigrés syriens dispersés un peu partout, — et notamment de Chekib Arslan — elle entretint un courant anti-français qui ne devait pas être sans effet, notamment en Afrique du Nord.

Une autre cause de préoccupations immédiates était l'Indochine. Cette colonie [3] déjà ancienne était pourtant considérée par certains comme le joyau de l'Empire français. En effet, plus peuplée, plus active économiquement avec déjà de grandes villes modernes — Hanoï, Haïphong, Saïgon — elle présentait d'importantes ressources exportables, le caoutchouc des plantations du Sud, les charbons du Tonkin. Mais l'Indochine est trop loin de la France ; sa vieille civilisation raffinée déroute les Français assimilateurs, qui n'ont jamais su quelle attitude adopter à son

1. Rappelons que le Hedjaz, où se trouve la Mecque, est séparé de la Syrie par plus de 1 000 kilomètres de déserts.
2. En particulier, les nationalistes syriens revendiquaient la Palestine.
3. En réalité amalgame complexe de colonies et de protectorats.

égard. D'autre part, les influences asiatiques l'environnent et la pénètrent : la victoire du Japon jaune sur la Russie européenne, en 1905, a déjà déterminé un frémissement ; après 1918, les révolutions chinoises, l'agitation politique de l'Inde, ont également leurs contrecoups. Pourtant, les bienfaits matériels de la présence française s'affirment : la production et le commerce se développent rapidement ; l'œuvre sanitaire aboutit, en Cochinchine, par exemple, à faire baisser la mortalité infantile de 27 p. 100 à 3 p. 100 entre 1918 et 1928 — et à aggraver du même coup la surpopulation des deltas rizicoles. Mais la crise économique mondiale atteint durement des populations déjà très pauvres dans l'ensemble malgré quelques fortunes ostentatoires. En 1930, des soulèvements éclatent, à Yen Bay, ailleurs encore ; ils sont réprimés avec une dureté encore aggravée par des exécutants mal surveillés. Ces événements laissent une rancœur durable.

La Tunisie présente à une échelle plus réduite des problèmes comparables. Ce petit protectorat, en effet, est largement ouvert sur l'Orient, et très sensible aux courants d'opinion qui traversent le Levant. Dès avant 1914, l'expédition italienne en Tripolitaine provoque des émeutes anti-italiennes à Tunis ; la présence en Tunisie, d'ailleurs, de nombreux Italiens de condition modeste, qui concurrencent directement les autochtones sur le marché du travail, entretient une rivalité à la fois ethnique et sociale. Mais il y a aussi en Tunisie une bourgeoisie constituée depuis longtemps, très ouverte aux idées nouvelles, impatiente de jouer un rôle politique. C'est d'elle qu'est issu le Destour, dont les délégués dès 1920 prennent contact avec les milieux politiques parisiens. Un début d'agitation se produit en 1925, contrecoup peut-être des événements de Syrie et du Rif. Puis tout paraît s'apaiser jusqu'en 1930, où le nationalisme tunisien trouve un chef en la personne de M. Habib Bourguiba ; cette année-là, les fastes trop voyants du Congrès Eucharistique de Carthage ont provoqué une réaction du sentiment musulman. Cette réaction ne déterminera pourtant pas l'orientation finale du mouvement nationaliste tunisien. En 1934, en effet, une scission éclate entre Vieux Destour et Néo-Destour ; et ce dernier, qui suit désormais l'impulsion de Bourguiba, s'affirmera non seulement plus populaire et moins bourgeois que le Vieux Destour, plus intransigeant aussi à l'égard de la France, mais porté également à une certaine laïcisation de la société ; et cette dernière tendance est alors rare dans le monde musulman, bien qu'elle puisse se réclamer de l'exemple de la Turquie de Mustapha Kemal. En 1936, Bourguiba cherche à obtenir du gouvernement de Front Populaire un acheminement graduel à l'indépendance selon le modèle syrien. C'est ici qu'éclate le malentendu causé par les systèmes ambigus des mandats ou des protectorats ; la revendication de Bourguiba paraît de son point de vue parfaitement logique ; mais le gouvernement Léon Blum et son sous-secrétaire d'État Pierre Viénot, si ouverts soient-ils aux aspirations des peuples dépendants, n'admettent pas cette remise en cause généralisée de la permanence française. Il se produit alors chez les nationalistes déçus une brusque flambée de violence : c'est l'émeute du 9 avril 1938 à Tunis, à la suite de laquelle Bourguiba est emprisonné. L'approche de la guerre de 1939 amène une trêve : en cas de conflit franco-italien, non seulement la Tunisie occupe une position stratégique trop importante pour qu'une agitation quelconque y soit tolérée, mais les Tunisiens ne peuvent songer à favoriser d'aucune manière une Italie trop proche et trop disposée à exporter une population excédentaire.

Le Maroc présente un cas à part. Isolé à l'extrémité occidentale du monde musulman, replié sur lui-même depuis longtemps après un passé glorieux, il possède une forte originalité, non seulement en raison de la persistance de puissantes traditions berbères, mais parce que le sultan est son chef religieux autant et plus que politique : aussi n'a-t-il pas eu à porter son attention sur le califat d'Istanbul et sur le Proche-Orient. Très original aussi est le protectorat français, installé tout récemment, et dominé jusqu'en 1925 par la forte personnalité du maréchal Lyautey. Celui-ci, essentiellement animateur d'énergies, met en œuvre des conceptions quelque peu contradictoires : tout en favorisant et en stimulant la création accélérée d'un Maroc économique ultra-moderne, il s'attache à faire revivre, en étendant le pouvoir et en affermissant le prestige du sultan, tout un Maroc féodal et chevaleresque, où, par tempérament, il se sent plus à l'aise ; le respect des institutions locales lui permet aussi d'être lui-même plus indépendant des bureaux parisiens ; il pousse l'application du système anglais plus loin que les Anglais eux-mêmes. Il ne peut maintenir cette position qu'en demandant le moins possible à la métropole. Mais le soulèvement d'Abd El Krim, qui constitue en 1922 un État indépendant dans la zone espagnole du Rif, remet tout en question. En 1925, Abd El Krim étend son offensive en zone française et menace Fez ; du coup la France doit consentir un sérieux effort et monter une opération militaire de grande envergure — ce que Lyautey précisément avait jusque-là toujours cherché à éviter. Abd El Krim est vaincu, mais Lyautey quitte le Maroc ; l'occasion de son départ est un désaccord avec le maréchal Pétain, qui avait assumé le commandement militaire ; mais peut-être Lyautey a-t-il senti que le Maroc désormais ne serait plus son Maroc.

L'entreprise d'Abd El Krim ressemblait à celle d'autres grands féodaux qui avaient depuis longtemps affaibli le pouvoir du sultan. Mais aussitôt après commence à se dessiner un mouvement très différent, qu'on peut ranger dans la catégorie des nationalismes modernes. A la différence de ce que nous avons vu en Tunisie, le mouvement marocain est d'abord et avant tout une réaction religieuse, un « réformisme musulman » [1] dont Allal El Fassi sera le représentant le plus connu. Ce courant prendra d'autant plus de force qu'à cette époque le Vicariat Apostolique de Rabat fait un effort particulier pour christianiser les Berbères. Et en mai 1930 les autorités du protectorat font promulguer le « Dahir berbère », qui, sous couleur de protéger les coutumes locales berbères contre la législation coranique envahissante, confiait une partie des affaires judiciaires en pays berbère aux tribunaux français. Il en résulta un vif mouvement de protestation mené par les jeunes notables de Fez. Dès 1932 ce mouvement débouche sur la revendication politique : ici aussi, les nationalistes

1. Ce terme de « réformisme » dans l'Islam ne doit pas prêter à confusion : il ne s'agit aucunement d'une modernisation, d'une mise au goût du jour, mais au contraire d'un retour aux sources, à la pureté originelle de la religion, contre toutes les innovations.

veulent assimiler le protectorat à un mandat de la S.D.N. de type syrien. En outre, les nationalistes cherchent à se faire un drapeau du sultan, en raison de son caractère religieux. L'agitation qui se développe amène dès mars 1937 la dissolution du Comité d'Action Marocaine, puis à la fin de la même année le bannissement d'Allal El Fassi.

Après de longs efforts meurtriers pour triompher de redoutables difficultés naturelles, l'Algérie, seule colonie d'enracinement, créée en grande partie par le travail d'un important élément européen, paraissait enfin atteindre la prospérité. C'était désormais un grand producteur de vin, et aussi de blé, grâce aux méthodes de culture sèche. Minerais de fer et phosphates venaient diversifier les ressources. Le commerce extérieur était passé de 536 millions de francs en 1900 à 1 168 en 1913 (dont 900 millions avec la France). La guerre de 1914 allait renforcer encore cette économie en y provoquant, comme dans tous les pays éloignés des combats, un début d'industrialisation. En dépit des très fortes variations de récoltes dues aux aléas d'un climat excessif, la période de 1920 à 1930 peut être considérée comme l'apogée de l'Algérie, avant que la crise économique mondiale ne vînt la frapper durement, comme le reste de l'Afrique du Nord [1].

Le développement économique, et plus encore sans doute l'implantation d'une administration française moderne, éclairée et bien outillée, avaient pour effet un accroissement rapide de la population, surtout de la population musulmane. Vers 1870 on avait pu craindre une diminution durable, voire une disparition des indigènes. Ce temps était désormais loin. La lutte contre les famines et les épidémies, plus encore peut-être le recul de la malaria qui diminuait la fécondité naturelle, avaient renversé la tendance :

	EUROPÉENS	INDIGÈNES
1911	752 000	4 710 000
1921	791 000	4 890 000

1. Des études sur les effets de cette crise, actuellement en cours, renouvelleront peut-être profondément l'histoire des différents pays d'Afrique du Nord entre les deux guerres.

	Européens	Indigènes
	—	—
1926	833 000	5 115 000
1931	881 000	5 548 000
1936	946 000	6 160 000

Autrement dit, la population musulmane s'accroît de 5 p. 1 000 par an entre 1921 et 1926 ; le taux annuel d'augmentation passe à 16 p. 1 000 dans la période 1926-1931, à 22 p. 1 000 dans la période 1931-1936 ; c'est dire qu'il dépasse désormais les possibilités de progrès d'un pays essentiellement agricole : à partir de 1930, on commence à importer des denrées alimentaires. Les hommes en surnombre à la campagne commencent à émigrer, en quête de travail, vers les grandes villes, Alger, Oran (ou Casablanca au Maroc)... ou vers la France. De fait, dans certaines régions pauvres comme la Kabylie, une notable partie de la population commence à vivre des mandats expédiés par les parents travaillant en France. Mais ce déracinement économiquement nécessaire entraîne de graves conséquences sociales, que Roger Letourneau a ainsi décrites :

« ... Non seulement ils (les Musulmans ruraux fraîchement arrivés en ville) doivent se plier à des activités professionnelles qui leur étaient complètement étrangères, mais il leur faut adopter un rythme de vie sans rapport avec leur routine rurale ; au lieu de l'activité discontinue des travaux de la campagne, au lieu des longues errances rêveuses à la suite des troupeaux, ils doivent se faire aux tâches régulières et sans répit de la ville moderne. Ils sont obligés de satisfaire aux mille obligations et formalités qu'impose l'administration dans les villes où elle s'épanouit. Ils sont astreints à la cruelle nécessité de pratiquer cette forme moderne de la mendicité qu'est la quête d'un emploi, ou d'inventer un moyen de vivre s'ils ne trouvent pas d'emploi régulier, ou lorsqu'une crise économique ou encore une transformation technique les prive du travail qu'ils avaient découvert. Enfin il leur faut se loger dans une ville surpeuplée où le moindre toit, la moindre parcelle de terrain coûtent cher à ceux qui ne gagnent presque rien. Bref, ils ont à adapter au monde de l'argent, eux qui ne connaissaient guère que les ressources naturelles de la terre et des animaux. Tout cela est déjà bien difficile, mais l'est davantage encore parce que, jusqu'alors membres d'un groupement familial et social qui pourvoyait largement à leurs besoins moraux et matériels, ils deviennent brusquement des individus, sans avoir fait l'apprentissage de la vie individuelle ».

Dans la misère des bidonvilles commencent à s'entasser des masses désemparées, prêtes à suivre tous les mouvements de mécontentement.

Dès avant 1914, des voix s'étaient élevées en France pour réclamer, au bénéfice des indigènes de cette vieille colonie, la citoyenneté française qui les rendrait les égaux des Européens. L'extension en 1912 aux musulmans du service militaire obligatoire [1] vint donner plus de poids à cette revendication : l'égalité des devoirs devait entraîner l'égalité des droits. Ce principe soulevait pourtant un problème théorique : la société musulmane est soumise à la loi coranique, qui n'est pas seulement religieuse, mais enferme aussi un code civil, et ne conçoit pas même un gouvernement séculier. Depuis longtemps tout Algérien pouvait facilement acquérir la citoyenneté française à condition de renoncer à son « statut personnel », c'est-à-dire de passer du régime coranique sous celui du Code Civil français (les différences entre les deux étaient importantes, notamment en ce qui concerne le mariage et la famille). En fait, bien peu d'Algériens avaient procédé à cette naturalisation, qui les coupait de leur communauté d'origine. Et il répugnait assurément à la logique de l'esprit français d'accorder les pleins droits politiques — donc l'électorat et l'éligibilité aux assemblées législatives — à des gens qui n'étaient pas soumis à la même législation. Mais cet argument souvent employé par les Européens d'Algérie servait aussi à couvrir leur désir d'être seuls représentants des intérêts de la

---

1. Dans la pratique, ce service militaire demeura « sélectif ». Les Européens d'Algérie fournirent à la guerre de 1914-1918 115 000 combattants, dont 22 000 furent tués ; les Musulmans, alors 6 fois et demi plus nombreux, 173 000 combattants, dont 25 000 périrent.

colonie, et leur peur de l'inconnu : qu'arriverait-il si l'Algérie envoyait au Parlement une majorité de musulmans ?

Pourtant les indigènes avaient déjà une représentation aux Délégations Financières d'Algérie, et dans une partie des conseils municipaux. Une série de mesures prises en 1918 et 1919 élargit cette représentation, et institua l'égalité fiscale entre européens et indigènes. Mais on n'alla pas plus loin.

Cependant les premières années de l'après-guerre furent politiquement calmes. C'est parmi les déracinés travaillant en France que se créa en 1926 l'Étoile Nord Africaine, qui avec Messali Hadj réclamait l'indépendance ; mais elle n'influença que des milieux restreints. L'association des oulémas réformistes, fondée en 1931 sous l'impulsion du cheikh Benbadis, devait avoir beaucoup plus de retentissement ; ces oulémas étaient des lettrés coraniques, prêchant un réformisme musulman analogue à celui du Maroc, et aboutissant à un nationalisme à base religieuse. Mais un troisième mouvement beaucoup plus original s'était peu à peu constitué parmi les Algériens ayant accédé à la culture française, pénétrés de science moderne et laïque, et peu séduits par la théocratie du Coran. Ces évolués revendiquaient essentiellement les droits politiques. Leur chef de file, le Dr Bendjelloul, constitua en 1934 la Fédération des élus musulmans, dont le programme n'était ni l'indépendance, ni l'assimilation individuelle des Algériens aux Français, mais ce qu'on a appelé depuis l'intégration : c'est-à-dire l'entrée dans la communauté française comme citoyens de plein droit de l'ensemble des Musulmans d'Algérie, avec maintien de leur statut personnel (certains auraient même admis d'être du coup assujettis à l'ensemble des lois françaises si ç'avait été l'effet d'une mesure générale : ainsi personne n'aurait eu à renier les siens). En juin 1936, malgré leurs différences d'inspiration, Association des oulémas et Fédération des élus musulmans se rejoignirent dans le Congrès musulman algérien, qui demanda le rattachement pur et simple à la France avec maintien du statut personnel ; les oulémas n'avaient fait insérer dans le programme que certaines revendications spécifiques, telle que la séparation du culte musulman et de l'État, qui eût affranchi leur activité religieuse du contrôle français. Le gouvernement du Front Populaire [1] eut une réaction positive : sans accepter d'emblée toutes ces demandes, il envisagea de leur donner une satisfaction partielle, qui pouvait n'être qu'une étape. Ce fut le projet Blum-Viollette, qui accordait la pleine citoyenneté française, sans abandon du statut personnel, à de nombreuses catégories de Musulmans représentant à des titres divers les cadres de leur communauté. Les nouveaux électeurs n'auraient été au début que 20 à 25 000 ; mais leur nombre était appelé à s'accroître avec le temps, et surtout c'était le principe qui était en jeu : la citoyenneté s'étendait au-delà de ses conditions originelles. Ce projet, très bien accueilli par les évolués comme Bendjelloul et Ferhat Abbas, suscita les réserves des oulémas réformistes, et aussi malheureusement l'hostilité très active des représentants élus des Européens d'Algérie. Le gouvernement de Paris, accablé de préoccupations pressantes, n'imposa pas son projet. Ce fut la tragédie d'une occasion manquée.

L'Afrique Noire et Madagascar paraissent alors des pays plus primitifs que les précédents. Leur mise en valeur commence à peine, et se heurte à de considérables difficultés. Et d'abord au manque d'hommes. Alors que la surpopulation est déjà très sensible dans les parties les plus productives de l'Indochine, et qu'elle se dessine, pour qui sait voir, en Afrique du Nord, les immenses possessions africaines n'ont qu'une douzaine de millions d'habitants, et la densité de Madagascar est également très faible : 3 millions d'habitants pour un territoire grand comme une fois et demie la France. Cette trop faible population est un obstacle au développement ; aussi certains administrateurs se préoccuperont-ils avant tout de « faire du Noir ». L'idée sera même émise de transporter aux bords du Niger une partie des Africains du Nord en surnombre.

Les difficultés des communications, et plus précisément de la pénétration vers l'intérieur, constituent un autre obstacle, souvent redoutable. Et d'ailleurs l'autorité coloniale, fidèle aux traditions françaises, ne conçoit pas l'essor économique sans un vaste programme préalable de travaux publics, chemins de fer,

---

1. Voir chap. VII.

routes et ports. C'est ainsi qu'à Madagascar on ajoute à la Ligne Tananarive-Tamatave, déjà construite, son embranchement vers le Lac Alaotra, puis la ligne Tananarive-Antsirabé, enfin celle de Fianarantsoa à Manakara. En Afrique Occidentale, se construisent les grandes voies de pénétration, de Thiès au Niger, d'Abidjan vers la Haute Volta ; en Afrique Équatoriale, c'est le Congo-Océan, de Pointe-Noire à Brazzaville, si coûteux en vies humaines. L'inconvénient de ces grands travaux, dont certains sont indispensables à l'avenir, c'est qu'ils prennent beaucoup de bras à une agriculture qui ne dépasse pas encore, bien souvent, le niveau de la simple subsistance. À partir de 1930, la crise économique amènera entre autres conséquences, pour la France comme pour l'Angleterre, la chimère de l'autarcie impériale. Il en résultera un intérêt accru pour les colonies — symbolisé par l'Exposition Coloniale de 1931 — mais aussi l'idée que les colonies doivent en priorité fournir à la métropole les matières premières dont elle manque. Pour l'Afrique, c'est essentiellement le coton. Et les grandioses projets de l'Office du Niger, avec son barrage de Sansanding, drainent une part excessive des ressources déjà trop restreintes.

Bien des responsables coloniaux, soucieux avant tout de leurs administrés, ne voient d'ailleurs pas d'un bon œil les réalisations trop spectaculaires. Ils leur préfèrent « un grand programme de petits travaux », par exemple le remplacement progressif de la houe par la charrue légère. Mais eux-mêmes sont condamnés par leurs préoccupations humanistes à promouvoir le progrès matériel. C'est ce qu'exprime Robert Delavignette :

« Prenons les trois grands objectifs sociaux de l'A.O.F., et qui ont trait incontestablement à la défense de l'Homme, à la dignité de la personne humaine : la libération des esclaves, l'instruction publique et la lutte contre les épidémies. Pour remplacer la main-d'œuvre servile par un paysannat libre, ce qui revient à introduire dans l'économie agraire des machines et des animaux de trait, pour appeler des instituteurs et des médecins européens et pour en former d'indigènes, il faut de l'argent par emprunts et par impôts. Où le trouver ? Dans de grands produits d'exportation. Mais il n'y a pas de grands produits d'exportation sans plantations et sans grands travaux publics de déblocage. Les incidences se précipitent. Le commerce est indispensable aux budgets ; il oblige la colonie à créer des ports et des routes et à rechercher les cultures riches et les formes payantes de l'agriculture, et il la contraint à tourner les indigènes vers un salariat, quand ce n'est pas vers un travail de corvée ».

C'est l'arachide qui, au moins en A.O.F., jouera le rôle de grand produit de civilisation.

La guerre de 1939 va surprendre et bouleverser un Empire en pleine évolution. Celle-ci pouvait être lente, mais il ne faut pas se tromper à l'immobilité apparente. Économiquement les colonies prenaient une place croissante. De 1913 à 1933 leur commerce extérieur doublait en valeur réelle. En 1929 leurs importations totales se montaient à 19 milliards, dont 9 provenant de la France, et leurs exportations à 14 milliards, dont 6 à destination de la France. La même année la France importait au total pour 53 milliards et exportait pour 51 milliards.

Mais ces résultats matériels n'étaient qu'un aspect du réel. Comme il arrive toujours quand il y a contact étendu et prolongé entre civilisations différentes, une transformation s'opérait en profondeur ; et il dépendait encore de la France d'orienter et de contrôler cette transformation.

CHAPITRE 6

L'ÉBRANLEMENT
1933-1936

L'impact des crises étrangères

a) *La crise économique.*

La grande crise économique mondiale de l'entre-deux guerres se manifeste d'abord aux États-Unis dans l'automne 1929 ; elle gagne l'Europe en 1931, et frappe cette année-là de façon particulièrement aiguë l'Angleterre et l'Allemagne. La France, conformément aux précédents, n'est atteinte que plus tard et avec une acuité d'abord moins grande. Sans doute, dès 1931, les plus clairvoyants parlent de crise. Mais sa réalité et sa gravité ne s'imposeront que peu à peu en fonction de sa durée. Quelques indications statistiques nous permettront d'abord de mesurer son ampleur [1] :

INDICES

	De la production industrielle	Du revenu national en volume	Des prix de gros	Des prix de détail	Du revenu national en francs courants
	—	—	—	—	—
1929	100	100	100	100	100
1930	99	99	88	101	99
1931	86	95	75	97	94
1932	73	87	66	88	84
1933	81	88	63	85	81
1934	75	86	59	82	75
1935	73	83	56	75	71
1936	78	82	65	81	79

1. D'après MARCEL HENRY, *L'évolution monétaire en France de 1929 à 1939*, *Banque*, sept. 1964.

N'oublions pas que le grand public, rebelle à l'analyse statistique, n'est sensible qu'aux phénomènes qui s'expriment en francs courants. Le redressement réel, quoique éphémère, de l'année 1933, lui échappe totalement. Tout au contraire, c'est à partir de 1933 que prend toute son ampleur celle des manifestations de la crise qui intéresse le plus directement la vie politique, c'est-à-dire le déficit budgétaire [1] :

RÉSULTAT D'EXÉCUTION DU BUDGET DE L'ÉTAT
(en milliards de francs)

	Recettes	Dépenses	Solde	Rapport du déficit aux dépenses
1928	48,2	44,3	+ 3,9	
1929-1930 (15 mois)	64,3	59,3	+ 5,0	
1930-1931	50,8	55,7	— 4,9	8,8 p. 100
1931-1932	47,9	53,4	— 5,5	10,3 —
1932 (9 mois)	36,0	40,7	— 4,7	11,5 —
1933	43,4	54,9	— 11,5	20,9 —
1934	41,0	49,9	— 8,9	17,8 —
1935	39,5	49,9	— 10,4	20,8 —

Une longue habitude nous a rendus moins sensibles aux déficits budgétaires. Mais les Français de 1933 et des années suivantes réagissaient en fonction de leur expérience la plus récente ; le déficit du budget leur rappelait la crise du franc, dont ils étaient sortis à grand-peine en 1928 après des années de tension dramatique et d'efforts pénibles. Ils mirent très longtemps à comprendre que la nouvelle crise était radicalement différente, et exigeait de tout autres solutions. Pratiquement, jusqu'en 1936, les gouvernements furent dominés par le souci primordial de rétablir l'équilibre budgétaire.

Deux autres préoccupations vinrent pourtant à la longue infléchir leur action : celle de venir en aide aux entreprises en difficulté : firmes industrielles, ou banques mises elles-mêmes

1. Même source que précédemment.

en danger par les faillites des industries qu'elles soutenaient ; mais aussi la préoccupation du chômage lié au ralentissement industriel, et qui agit particulièrement sur les syndicats ouvriers et les partis qui leur étaient liés.

Les pouvoirs publics — et l'opinion — étaient alors très mal armés pour mesurer exactement l'ampleur du chômage. Les fonds de secours aux chômeurs étaient municipaux, il n'en existait que dans les villes importantes de tradition industrielle ancienne. Il s'en créa d'autres au cours de la crise, si bien que les totaux de chômeurs parurent s'enfler beaucoup plus vite peut-être qu'ils ne le faisaient en réalité.

	Nombre de chomeurs secourus	Demandes d'emplois non satisfaites
1921	43 700	27 500
1926	500	11 100
1927	33 300	46 700
1930	1 700	13 000
1931	45 400	63 900
1932	260 800	301 300
1933	274 100	304 800
1934	335 700	368 300
1935	426 500	463 700

D'après des calculs d'économistes, le chômage pour les hommes de 20 à 60 ans était en 1906 de l'ordre de 1,2 à 1,4 p. 100, en 1931 de 2 p. 100, en 1936 de 4 à 5 p. 100. Chiffres beaucoup plus faibles, en valeur absolue et en valeur relative, que ceux des autres grands pays industriels. C'est l'importance relative des petites entreprises — dont les souffrances n'apparaissent guère dans les chiffres mais ont pourtant de profondes répercussions politiques — qui a donné à la crise française ses aspects particuliers : atteinte plus lente, ampleur apparente moins grande, mais reprise économique également plus tardive. Mais les statistiques portant sur les établissements de plus de 100 ouvriers présentent l'image d'une crise beaucoup plus aiguë :

INDICES

	Salaires horaires	Nombre d'heures de travail	Montant nominal des salaires	Montant réel des salaires
	—	—	—	—
1930	100	100	100	100
1931	100	88,4	88,4	90,3
1932	98,7	74,2	72,3	80,0
1933	95,3	75,7	71,1	79,5
1934	95,3	72,6	68,8	80,3
1935	93,1	70,0	65,3	81,9

b) *L'avènement de Hitler.*

En janvier 1933, Adolf Hitler devient chancelier du Reich allemand. Pour l'Allemagne et pour l'Europe, une ère nouvelle commence.

Ce n'est pas ici le lieu de rappeler tout ce que le régime hitlérien a comporté d'inhumanité profonde, d'obscurantisme intellectuel, de régression de la civilisation occidentale. Il faut noter pourtant que ces caractéristiques, si évidentes pour nous, ont mis longtemps à s'imposer aux observateurs des pays voisins, qui n'en subissaient pas directement les effets. Si l'on ne tient pas compte de ce retard, la période devient inexplicable.

Dans son livre « Mein Kampf », écrit dix ans plus tôt en captivité, Hitler définissait son programme ; celui-ci comportait les plus graves menaces contre la France d'une part, contre la Russie des Soviets de l'autre. Et toute l'action menée par Hitler depuis son avènement avait pour objectif et pour effet d'achever la destruction du Traité de Versailles, et d'accélérer le réarmement allemand. Et pourtant, en France — et plus encore dans d'autres pays comme l'Angleterre — les attitudes traditionnelles s'ajustèrent difficilement et lentement à la situation nouvelle. A gauche, la philosophie politique de Hitler devait susciter une répugnance particulièrement marquée ; cependant, chez beaucoup, le pacifisme général, le souci d'accorder à l'Allemagne un meilleur traitement que celui que prévoyait le Traité de Versailles, demeurèrent longtemps, et parfois toujours, prédominants. Quant à ceux qui avaient constamment témoigné la plus grande méfiance à l'égard de l'Allemagne, et que les circonstances avaient rejetés à droite, ils auraient dû voir dans ce fait nouveau une confirmation éclatante de leurs mises en garde et de leurs craintes, une invitation à redoubler de vigilance. C'est bien ce qui se produisit pour certains, mais non pour tous ; car il se trouva également des gens pour estimer que l'ennemi le plus dangereux n'était pas l'Allemagne hitlérienne, mais l'Union Soviétique, championne du communisme international : et que, dès lors que l'Allemagne et la Russie cessaient d'être tacitement alliées (comme elles l'étaient depuis 1922), il fallait se garder de contrarier la volonté de puissance allemande. Et avec les expressions excessives et le manque de nuances qui caractérisent souvent la vie politique française, on vit des nationalistes emprunter tout d'un coup le vocabulaire pacifiste le plus extrême, tandis que des pacifistes arrivaient à se faire traiter de « bellicistes ». Ce facteur de confusion venait aggraver l'ébranlement intellectuel causé par la crise économique.

1933 : Le trouble des esprits

Après la chute d'Herriot, chef naturel de la majorité de 1932, renversé sur la question du paiement des dettes aux États-Unis, quatre ministères vont se succéder en l'espace d'un an : ceux de Paul Boncour, de Daladier, de Sarraut, de Chautemps. Tous les quatre succomberont à la vaine recherche de l'équilibre budgétaire. Tout le monde est d'accord sur le but, personne n'en veut accepter les moyens. Il est vraiment difficile aux partis de gauche de réaliser des économies substantielles, qui se traduiraient par des réductions massives des traitements des fonctionnaires, un de leurs plus sûrs appuis électoraux. Quant aux augmentations d'impôts, elles se heurtent à la fois aux résistances de l'opposition, et à la contraction de l'activité économique qui en annule l'effet. Et le déficit ne cesse de croître.

Quant au recul industriel qui devient sensible, on l'attribue avant tout à la concurrence étrangère ; pour lutter contre elle on retrouve une longue tradition protectionniste. Mais les moyens d'action se sont renouvelés. Aux droits de douane s'étaient ajoutés des surtaxes de change, à la suite de la dévaluation de la livre sterling de 1931. Bientôt on eut recours à la méthode beaucoup plus efficace des contingentements : la quantité de marchandises étrangères admises était limitée par décret, sans plus tenir compte du prix. Cela permettrait aux entreprises françaises de pratiquer des prix artificiels, qui, malgré leur baisse, demeuraient très au-dessus des cours mondiaux. C'était une manière de prolonger le mal en atténuant ses effets immédiats. Cependant la conjoncture mondiale s'aggravait : une conférence internationale économique réunie à Londres au printemps de 1933 était vouée d'avance à l'échec par la dévaluation du dollar. Et, après quelques années de trêve, l'inquiétude monétaire renaissait.

Le bilan diplomatique n'était pas plus satisfaisant. A la nouvelle menace représentée par l'avènement de Hitler, les puissances occidentales, France et Angleterre, répondaient d'emblée par une politique de concessions. La conclusion du « Pacte à Quatre » (France, Angleterre, Italie, Allemagne) faisait prévoir une révision des traités de 1919, et surtout tendait à instituer une manière de directoire des « Grands », modifiant l'esprit de la Société des Nations et réduisant à l'état de pays de seconde zone les nations d'Europe Centrale, « clientes » de la France depuis la fin de la guerre. Sur leurs protestations, le « Pacte à Quatre » fut d'ailleurs vidé de son contenu par des amendements français. Mais il révélait une tendance significative. Et peu après, le 19 octobre 1933, l'Allemagne quittait avec éclat la Société des Nations ; c'était la fin officielle des espérances de garantie permanente de la paix auxquelles beaucoup de gens s'accrochaient encore, malgré la désillusion qui gagnait depuis quelques années les observateurs avertis.

L'impossibilité de résoudre le problème financier était aux yeux de certains secteurs de l'opinion de droite une nouvelle preuve de l'impuissance du régime parlementaire. Certains mots d'ordre déjà lancés en 1925-1926 étaient repris avec plus de force

En outre, il était facile de constater le recul de l'influence internationale des démocraties de France et d'Angleterre, devant les dictatures fascistes, Allemagne et Italie. Sur le plan économique également, alors que la France s'enfonçait de plus en plus dans la crise, et que le redressement britannique passait inaperçu, on vantait le rétablissement de l'Allemagne — sans bien comprendre par quel mécanisme et à quel prix il était obtenu — et on ne voyait pas les déficiences italiennes. Réaction antiparlementaire, admiration ou du moins intérêt pour les dictatures voisines, c'est en se basant sur ces sentiments très simples que se développèrent au cours de 1933 une série de Ligues : les Croix de Feu, qui étaient depuis quelques années une association d'anciens combattants décorés au péril de leur vie, élargirent considérablement leur recrutement, notamment en direction de la jeunesse, et devinrent pour un temps singulièrement actifs, ou au moins bruyants et voyants. On vit aussi se fonder la Solidarité Française, le Francisme. Ces ligues n'étaient pas à proprement parler des mouvements fascistes, mais elles en copiaient certaines manifestations extérieures, et notamment les parades en uniformes, chemises de couleur et insignes.

Un trouble plus profond gagnait certains esprits d'ailleurs très diversement orientés. Pour eux, le malaise multiple très généralement ressenti ne mettait plus — ou plus seulement — en cause le régime parlementaire, mais le système économique et l'organisation sociale eux-mêmes. Et les positions des partis traditionnellement révolutionnaires ne les satisfaisaient pas davantage. Si l'on était entré dans la crise finale du capitalisme, où étaient les perspectives d'arrivée rapide au pouvoir de ces partis, et surtout quelles mesures immédiates envisageaient-ils pour remettre l'économie en marche ? Dans le mouvement socialiste international, un débat doctrinal était engagé depuis quelques années sous l'impulsion du Belge Henri de Man. En France, la S. F. I O. vit se détacher d'elle, à son congrès de l'été 1933, un groupe qui fut appelé « néo-socialiste », et qui, s'inspirant de ces courants nouveaux, se préoccupait avant tout d'action rapide et d'efficacité ; certains de ses mots d'ordre, tels que « Ordre, Autorité, Nation », avaient résonné assez étrangement dans la

« vieille maison » de la S.I.F.O. A côté, de petits groupes se fondaient, le « Frontisme » de Gaston Bergery, la « Troisième Force » de G. Izard, etc. A certains de ces mouvements on appliqua, un peu à la légère, l'épithète de « fascistes de gauche ». Ils demeurèrent sans lendemain, mais témoignaient de la fermentation des esprits. Le conflit normal des générations, aggravé par la coupure entre ceux qui avaient fait la guerre et ceux qui ne l'avaient pas faite, s'élargissait en remise en cause générale de la société et des valeurs admises [1].

Le Six Février 1934

Un incident largement fortuit allait porter le malaise et le mécontentement à leur comble. Le 28 décembre 1933 éclate le scandale financier des faux Bons du Crédit Municipal de Bayonne. Il met en lumière la personnalité d'un escroc de grande envergure, Stavisky, qui paraît s'être assuré de précieuses relations dans les milieux politiques, sans qu'on puisse toujours déterminer dans quelle mesure ces relations relèvent de la complicité active, ou de la trop grande facilité d'abord de beaucoup de politiciens. Le 8 janvier 1934, Stavisky qui avait pris la fuite est retrouvé mort dans des circonstances suspectes. S'est-il suicidé ? L'a-t-on supprimé pour l'empêcher de parler ? Quoi qu'il en soit, le ministre Dalimier démissionne. Le 11 janvier on arrête deux journalistes politiques connus, Camille Aymard et Dubarry. Le 15, le député Gaston Bonnaure est inculpé. Le 27, le Garde des Sceaux Raynaldy, compromis dans l'affaire Sacazan, démissionne, entraînant dans sa chute le ministère Chautemps. Comme l'Affaire de Panama un demi-siècle plus tôt, l'Affaire Stavisky fournit à l'opposition une admirable occasion pour attaquer les partis au pouvoir.

Mais, contrairement à ce qui s'était passé lors de Panama, la

1. Voir J. TOUCHARD, *L'esprit des années 1930*. Colloque de Royaumont.

principale offensive ne se produit pas au Parlement, mais dans la rue. L'initiative de cette tactique nouvelle revient à l'Action Française. Cette ligue, antérieure aux fascismes et d'inspiration très différente, n'en affichait pas moins un antiparlementarisme fondamental ; son objet était de rétablir la monarchie, au besoin par un coup de force. Mais depuis près de trente ans qu'elle existait, elle n'avait abouti à aucun résultat décisif. Depuis 1926 même, date de sa condamnation par le Pape, elle paraissait en recul. Le prétendant monarchiste était nominalement le duc de Guise, mais son fils le comte de Paris, dont l'ambition impatiente allait bientôt envisager d'autres voies, adressa à l'Action Française une espèce d'ultimatum : c'était le moment ou jamais de montrer ce qu'elle pouvait faire [1].

Effectivement, durant tout le mois de janvier 1934, l'Action Française se livra à une série de démonstrations, notamment dans le faubourg Saint-Germain ; elle obtint un certain succès, s'assura les sympathies d'un nombre appréciable de mécontents. Mais elle était incapable à elle seule d'entraîner de gros effectifs et d'aboutir à une action décisive.

Une nouvelle circonstance fortuite allait fournir l'occasion cherchée. Après la démission de Chautemps, le chef radical Daladier, chargé de former le ministère et ne pouvant trouver à sa droite les concours escomptés, se vit dans la nécessité de donner aux socialistes un gage décisif : ce fut le déplacement du Préfet de Police de Paris, Jean Chiappe, accusé de montrer de la complaisance pour les manifestants de droite alors qu'il avait réprimé avec rigueur des manifestations de gauche.

Ce geste parfaitement normal déclencha une effervescence difficile à comprendre pour qui ne se rappelle pas l'histoire de Paris. La capitale avait connu durant le XIXe siècle de nombreuses journées insurrectionnelles, aboutissant souvent à renverser le régime existant. Aussi avait-elle été soumise, à la suite de la Commune de 1871, à un régime d'exception — d'ailleurs toujours en vigueur. Paris est la seule commune de France à n'avoir

---

1. Cf. EUGEN WEBER, *op. cit.*, p. 333.

pas de maire élu ; une bonne part de ses fonctions sont assumées par le Préfet de Police, fonctionnaire nommé par le gouvernement. Au début de la Troisième République, le Conseil Municipal boycotta le Préfet de Police. Mais Chiappe au contraire s'était fait apprécier des élus municipaux. Aussi son déplacement apparaissait-il moins comme une mesure administrative que comme un geste politique, une nouvelle brimade à l'égard de la capitale traditionnellement opposée à la majorité provinciale du Parlement. Un grand nombre d'élus et de journaux de Paris se solidarisèrent violemment avec Jean Chiappe.

Les conditions étaient donc remplies pour une mobilisation générale des opposants lors de la présentation du nouveau ministère Daladier devant la Chambre. Effectivement des invitations à manifester le soir du 6 février furent lancées par les différentes ligues — par de grandes associations d'Anciens Combattants, enclins à attribuer la dégradation de la situation de la France à l'indignité morale de ses gouvernants — enfin par les communistes. Mais il s'agissait d'une série de manifestations maintenues soigneusement distinctes les unes des autres par des états-majors qui se jalousaient et se surveillaient réciproquement. La plupart devaient se dérouler aux approches du Palais Bourbon, où siégeait la Chambre ; celle des Jeunesses Patriotes pourtant était convoquée devant l'Hôtel de Ville, ranimant la vieille tradition des insurrections parisiennes.

Place de la Concorde, les manifestations prirent par instants un caractère d'extrême violence ; il y eut, des deux côtés, des morts et de nombreux blessés, et le service d'ordre normal parut bien près d'être débordé. Craignant d'avoir à faire face les jours suivants à des manifestations encore plus graves, d'être obligé de faire appel à l'armée contre des organisations d'Anciens Combattants et de glisser ainsi à la guerre civile, le ministère Daladier démissionna malgré le vote de confiance de la Chambre. Le Six Février n'avait pas été un coup de force prémédité et préparé en vue de la prise du pouvoir. Néanmoins, pour la première fois dans l'histoire de la Troisième République, le Parlement capitulait devant la pression de la rue. La gravité de l'événement frappa les contemporains. Et son effet le plus sûr fut de raviver la coupure de l'opinion entre la droite et la gauche, condamnant ainsi les tentatives de renouvellement politique qui s'esquissaient.

Le ministère Doumergue (février-novembre 1934)

Après cette rude secousse, le souci primordial qui se manifeste dans le personnel politique est celui de l'apaisement. Aussi a-t-on recours à un homme qui s'est retiré depuis plusieurs années et n'a pas été mêlé aux luttes récentes, Gaston Doumergue, ancien président de la République, radical de la vieille époque, que sa rondeur toulousaine prédispose à exercer ce qu'on a appelé la « dictature du sourire ». Doumergue constitue un ministère d'union et de réconciliation, que symbolise la présence à ses côtés comme ministres d'État d'Édouard Herriot et d'André Tardieu. La faveur avec laquelle les Ligues accueillent son avènement montre combien elles se souciaient peu, dans leur ensemble, d'opérer un bouleversement profond de la vie politique.

Mais, l'apaisement des humeurs ainsi réalisé provisoirement et tant bien que mal, les problèmes subsistent dans toute leur gravité. Problèmes extérieurs, qui seront traités à part. Problèmes économiques et financiers, qui ne cessent de s'imposer par leur urgence. Et sur ce point le précédent du ministère Poincaré de 1926, tant invoqué par certains, ne joua pas. Car, non seulement Doumergue n'était pas un Poincaré, mais le problème n'était plus d'imposer politiquement des solutions sur lesquelles les techniciens s'étaient dans l'ensemble mis d'accord, mais de trouver des solutions à des problèmes neufs, dont la nouveauté n'était pas encore pleinement reconnue. Dès ce moment pourtant, Paul Reynaud soutenait, en s'inspirant de l'exemple anglais et américain, que la dévaluation de la monnaie était le seul remède efficace à la dépression économique. L'avenir devait le justifier avec éclat, mais il faut pourtant comprendre la vigueur des oppositions qu'il souleva alors dans tous les secteurs de l'opinion. La stabilité du franc avait été rétablie il y avait quelques années à peine, après une longue crise et au prix de lourds sacrifices ;

l'opinion pouvait-elle admettre de voir ainsi remis en cause des résultats à peine acquis, et de nouvelles pertes infligées aux victimes de l'opération de 1926 ? En fait, il ne faut pas oublier que la dévaluation avait été tentée et réussie en Angleterre et aux États-Unis, c'est-à-dire précisément dans des pays qui avaient gardé ou retrouvé leur parité monétaire d'avant 1914. Le ministère Doumergue se borna à obtenir le droit de prendre par décrets-lois les mesures qu'il n'avait pas été possible jusque-là d'obtenir du Parlement : réduction des traitements de fonctionnaires et des pensions, augmentations d'impôts. Cet effort s'avéra d'ailleurs inutile : le déficit budgétaire subsista, à peine réduit ; et la crise économique continua.

Les élections partielles témoignaient pourtant de la faveur du pays pour la nouvelle majorité. Aussi n'a-t-on guère jusqu'ici expliqué de façon satisfaisante l'épisode qui mit fin rapidement à l'expérience Doumergue : le projet de réforme de l'État. Le mécontentement vis-à-vis du régime parlementaire ou au moins de son fonctionnement, le désir de renforcer l'autorité gouvernementale, accompagnaient depuis longtemps en France toutes les crises un peu sérieuses. A l'issue de la guerre de 1914, divers projets de revision constitutionnelle avaient été avancés ; mais ils n'avaient jamais été soutenus par de forts courants d'opinion. En 1934, l'ébranlement des esprits amène le Parlement à mettre à nouveau la revision à l'étude, sans beaucoup de conviction. Or, au retour des vacances, Doumergue paraît décidé à imposer certaines réformes, d'allure assez anodine : limitation de l'initiative des députés en matière financière, possibilité pour le Président de dissoudre la Chambre sans l'avis conforme du Sénat. Il n'en fallut pas plus pour soulever l'opposition de toute la gauche, y compris les radicaux qui faisaient partie de la majorité ministérielle. Opposition qui paraît avoir été motivée moins par les projets eux-mêmes que par les arrière-pensées que l'on prêtait au président Doumergue : soit opérer rapidement une dissolution et de nouvelles élections tant qu'on pourrait en espérer un changement de majorité, soit même préparer un coup d'État à la mode de 1851. Quoi qu'il en soit, la démission des ministres radicaux (6 novembre 1934) entraîna le retrait du cabinet Doumergue.

L'aggravation de la crise

a) *Le ministère Flandin* (8 novembre 1934-31 mai 1935).

Le ministère Doumergue est très vite remplacé par un ministère Flandin, constitué pour une large part par les mêmes éléments. Pourtant sa nuance politique est différente. L'abandon des projets de revision constitutionnelle rassure les radicaux. Mais du même coup Tardieu ne fait plus partie du cabinet, qui ne tardera pas à soulever l'hostilité des Ligues. C'est, en fait, un véritable ministère du Centre, attaqué sur sa droite comme sur sa gauche ; mais sa majorité est précaire.

Le gouvernement est désormais contraint de se préoccuper, non plus seulement des problèmes des finances publiques, mais des difficultés économiques elles-mêmes. Il va essayer d'une action assez analogue à certaines des mesures prises par Roosevelt aux États-Unis à la même époque. Il considère — comme beaucoup d'économistes — que la crise présente est, comme les précédentes, une crise de surproduction. La surproduction entraîne une baisse des prix telle qu'elle ruine les entreprises ; c'est le cas, en particulier, des prix agricoles, beaucoup plus sensibles à la mévente. Il faut donc limiter la production afin de maintenir les prix. C'est le ministre de l'Agriculture lui-même qui s'écrie, à la tribune du Sénat : « Nous avons trop de blé, trop de vin, trop de viande, trop de lait ».

Cette politique fait scandale dans un pays, qui, en majorité, est encore beaucoup plus accoutumé aux privations qu'à l'abondance. Elle est, au surplus, inefficace : les prix français deviennent de plus en plus supérieurs aux prix mondiaux, déprimés par les dévaluations monétaires des grandes nations commerçantes. Du même coup, la balance des comptes française est déficitaire, l'or qui s'est accumulé en France commence à repartir, le franc paraît menacé. Les contemporains se croient reportés dix ans en arrière. Les succès remportés par l'extrême-gauche dans certaines grandes villes, aux élections municipales de mai 1935, viennent peut-être renforcer l'inquiétude des possédants. Quoi qu'il en soit, c'est sous le coup d'une panique financière que la Chambre renverse le ministère Flandin.

b) *Le ministère Laval* (7 juin 1935-22 janvier 1936).

Après une vaine tentative de Fernand Bouisson, Pierre Laval forme le nouveau gouvernement. On a fait appel à lui, comme ministre des Affaires Étrangères de l'ancien cabinet, pour assurer la continuité de la diplomatie dans une conjoncture internationale troublée : Laval, qui se réclame de Briand, essaie d'utiliser les recettes politiques de celui-ci.

Mais en fait l'orientation politique se modifie à nouveau. Bien qu'il conserve le concours des radicaux, Laval bénéficie de la neutralité bienveillante des Ligues, et va louvoyer au milieu d'une opposition entre gauche et droite de plus en plus violente.

En matière économique, Laval adopte une option inverse de celle du cabinet précédent. Puisque les prix français sont trop élevés pour permettre à l'économie de soutenir la concurrence internationale, et que la dévaluation est toujours exclue, on va s'efforcer de réduire ces prix par une déflation généralisée. Dès son arrivée au pouvoir, Laval prend une série de décrets-lois ; il s'agit surtout d'économies budgétaires, par réduction notamment des traitements des fonctionnaires. Mais les employeurs sont encouragés à réduire de même les salaires, au nom de l'égalité des sacrifices ; celle-ci étant, d'autre part, assurée, pour d'autres catégories, par des augmentations d'impôts.

Or la déflation, pratiquée un peu partout dans le monde au début de la crise, n'a réussi nulle part ; la rigidité naturelle des prix, l'attachement tenace des salariés à leurs rémunérations nominales, annulent ce que le raisonnement économique peut avoir de théoriquement plausible. La déflation, jointe à la prolongation et au renforcement de la crise, entraîne un mécontentement profond et généralisé des masses populaires. Ce n'est pas pourtant la situation économique directement, mais plutôt la politique extérieure, qui fut l'occasion de la démission des ministres radicaux et, par suite, de la chute de Laval.

A la recherche d'un système de sécurité

L'échec de la Conférence du Désarmement, le retrait de l'Allemagne de la S.D.N., font apparaître aux yeux du gouvernement français que les institutions genevoises ne suffisent plus à assurer la sécurité de la France. Et l'Angleterre s'oriente de plus en plus dans la voie des concessions à Hitler. Elle envisage de lui accorder une armée équivalente à l'armée française. Contre cette tendance, la France s'insurge, et, par la note du 17 avril 1934, refuse de légaliser le réarmement allemand. Force lui est donc de renforcer ses appuis continentaux, de consolider les alliances que la France possède déjà parmi les petites puissances d'Europe Centrale et Orientale, et d'en rechercher de nouvelles : deux sont théoriquement possibles : l'Italie et l'U.R.S.S.

Ce plan, conçu par le ministre des Affaires Étrangères Louis Barthou, se heurtait à des difficultés considérables. La Petite Entente (Tchécoslovaquie, Roumanie, Yougoslavie), qui avait souvent apporté à la France l'appoint de ses voix à Genève, liait ses participants contre la restauration des Habsbourg et contre la Hongrie, mais non contre l'Allemagne. La Pologne, autre alliée de la France, était en mauvais termes avec la Tchécoslovaquie, notamment à propos du territoire de Teschen. La Yougoslavie se heurtait fréquemment à l'Italie. La Pologne, on l'a vu, s'était déjà trouvée en guerre contre l'U.R.S.S., aux dépens de qui elle s'était assuré des territoires considérables ; par contre la Pologne avait signé le 26 janvier 1934 un pacte de non-agression avec l'Allemagne.

Mais il y avait également des circonstances favorables. La menace hitlérienne avait déjà déterminé un rapprochement franco-soviétique, sanctionné dès le 29 novembre 1932 par un pacte de non-agression, et favorisé activement par Édouard Herriot et le soviétique Litvinov. D'autre part, Mussolini, ennemi de principe du communisme russe, était plus directement inquiété par les ambitions allemandes en Europe Centrale, qui contrariaient ses propres projets danubiens. En juillet 1934, les nazis autrichiens, sur l'ordre de Hitler, tentèrent un coup de force qui échoua de justesse, non sans causer la mort du chancelier Dollfuss.

Mussolini envoya aussitôt des troupes sur la frontière italo-autrichienne, et appuya énergiquement les adversaires des nazis.

Barthou, au cours de deux voyages en avril et juin 1934, essaya de mettre sur pied un pacte oriental, imité de celui de Locarno, et qui organiserait notamment une garantie mutuelle des frontières de l'Allemagne, de la Pologne et de l'U.R.S.S. Mais le 10 septembre, le gouvernement allemand refusa d'y souscrire, et le 27 septembre, la Pologne refusa également, déclarant qu'elle ne voulait en aucune circonstance laisser passer les armées russes ou allemandes par son territoire. Ainsi se révélait un obstacle majeur au nouveau système de sécurité : il était désormais géographiquement impossible de reconstituer « l'alliance de revers » de 1914, et la France ne pourrait compter, en cas d'un conflit avec l'Allemagne, sur le secours russe, à moins d'y sacrifier la Pologne. Néanmoins, en septembre 1934, l'U.R.S.S. fut admise à la S.D.N., et pourvue d'un siège permanent au Conseil. Mais la carrière de Barthou allait se terminer tragiquement : en effet, le 9 octobre 1934, il fut assassiné à Marseille en compagnie du roi Alexandre de Yougoslavie, par des séparatistes croates habituellement soutenus par l'Italie. Il en résulta un refroidissement des rapports entre la Yougoslavie et la France.

Cependant le rapprochement franco-italien n'en fut pas affecté. En janvier 1935, le successeur de Barthou, Pierre Laval, se rendit à Rome ; il y régla diverses questions intéressant les possessions françaises et italiennes d'Afrique, et surtout la France et l'Italie convinrent de se concerter « en cas de menace pour l'indépendance et l'intégrité de l'Autriche ».

Cependant l'Allemagne, qui avait récupéré la Sarre à la suite du plébiscite du 13 janvier 1935, proclamait le 16 mars le rétablissement du service militaire obligatoire. Cette fois les pays menacés parurent disposés à répliquer : en avril 1935, les représentants de la France, de l'Angleterre et de l'Italie, réunis à Stresa, réaffirmèrent leur fidélité au Pacte de Locarno, en y ajoutant l'expression de leur désir de maintenir l'indépendance et l'intégrité de l'Autriche.

En même temps Laval, de plus ou moins bon gré, poursuivait l'élaboration de l'alliance franco-soviétique ; celle-ci fut signée le 2 mai 1935, et complétée le 16 mai par un pacte d'assistance mutuelle soviéto-tchécoslovaque qui ne devait jouer d'ailleurs que si la France venait elle-même au secours du pays attaqué.

L'alliance franco-russe correspondait à une tradition militaire française. Mais l'hostilité de principe des communistes à tous les États « bourgeois », et la crainte que beaucoup de Français éprouvaient à l'égard du communisme, allaient faire de cette combinaison diplomatique l'enjeu d'un grave conflit intérieur qui retentirait à son tour sur la politique extérieure de la France. Désormais le fossé allait s'approfondir de plus en plus entre ceux qui étaient plus hostiles à l'Allemagne hitlérienne qu'à l'Union soviétique, et ceux qui adoptaient la position inverse, et dans bien des cas les considérations idéologiques prendraient le pas sur les préoccupations nationales.

L'affaire d'Éthiopie

Le nouveau système diplomatique qui s'esquissait autour de la France, et qui était imposant au moins d'apparence, allait être bientôt disloqué par un incident extérieur. Depuis longtemps Mussolini rêvait de reprendre la vieille politique italienne d'expansion vers l'Éthiopie, et d'effacer le désastre d'Adoua qui y avait mis un terme en 1896. Le moment où il s'était rendu apparemment indispensable aux puissances occidentales pour protéger l'Autriche, lui parut bien choisi pour reprendre la question. Avait-il, en outre, obtenu l'accord tacite de Laval, lors de la visite de celui-ci à Rome en janvier 1935 ? Il paraît en tout cas l'avoir cru. Quoi qu'il en soit, à propos d'un incident de frontière, l'Éthiopie, en janvier et à nouveau en mars 1935, fit appel à la Société des Nations, dont elle était membre. L'Angleterre rechercha d'abord l'accord avec la France, un compromis avec l'Italie. Mais durant tout l'été s'effectuèrent des préparatifs de guerre italiens impossibles à dissimuler, puisqu'ils comportaient d'importants transports de troupes à travers le Canal de Suez. Et l'Angleterre — pour des raisons que nous n'avons pas à rechercher ici — manifesta sa volonté de ne pas se désintéresser du problème, d'abord en effectuant un déploiement de forces navales en Méditerranée, puis en envisageant avec insistance l'application de la procédure des sanctions contre l'agresseur, prévue par le Pacte de la Société des Nations.

La France — peu intéressée par l'affaire d'Éthiopie en elle-même — se trouvait dans une situation embarrassante. Il ne s'agissait pas de maintenir un système de sécurité collective qui n'existait pas, puisque le Protocole de Genève n'avait jamais été ratifié, et qu'en 1931 la Société des Nations avait toléré, sans réagir effectivement, une agression caractérisée du Japon contre la Chine. Mais il s'agissait de créer un précédent : pour ceux des Français qui avaient mis leur espoir dans la sécurité collective, c'était la première possibilité qui se présentait d'en faire jouer le mécanisme. Quelle eût été la valeur du précédent ? Il semble que Pierre Laval ait profité des discussions sur l'application des sanctions pour sonder le gouvernement anglais, et tâcher de lui faire préciser et étendre ses engagements en ce qui concernait l'indépendance de l'Autriche et l'éventuelle remilitarisation de la Rhénanie ; il semble aussi que les résultats de ces sondages n'aient pas été encourageants.

Cependant, le 3 octobre 1935, les Italiens commencèrent les hostilités, et, en octobre et novembre, la Société des Nations adopta à leur égard une série de sanctions financières et économiques, consistant notamment en l'interdiction de fournir à l'Italie certains produits. Sanctions limitées dans leur application : Les États-Unis ne faisaient pas partie de la S.D.N., l'Allemagne n'en était plus membre et s'empressa de ravitailler l'Italie par l'intermédiaire de l'Autriche, dispensée de ses obligations en raison de sa « situation particulière ». Sanctions limitées aussi dans leur objet : on écarta non seulement les sanctions militaires, mais aussi l'embargo sur le pétrole qui eût pu être rapidement efficace : mais Mussolini avait menacé, en ce cas, de recourir aux armes. Ainsi se trouvait mise en lumière la faiblesse d'une conception qui croyait à la possibilité pour les nations pacifiques d'empêcher toute agression par des moyens purement économiques, sans courir elles-mêmes de risques.

Devant l'inefficacité de la politique des sanctions, Laval tenta un compromis qui eût accordé à Mussolini l'essentiel de ses demandes, tout en maintenant un résidu d'Éthiopie indépendante ; il obtint l'accord du ministre des affaires étrangères britannique, sir Samuel Hoare, mais le « plan Laval-Hoare », une fois dévoilé, suscita une violente indignation en France et surtout en Angleterre. Il n'eut donc pas de suite, et l'Italie acheva la conquête de l'Éthiopie.

Cette affaire était donc désastreuse à tous égards. Le « Front de Stresa » était rompu, et faisait place à un rapprochement germano-italien qui allait aboutir au « Pacte d'Acier ». Les démocraties occidentales, France et Angleterre, avaient donné une terrible démonstration de leur faiblesse. Enfin l'affaire d'Éthiopie avait été en France l'occasion d'une violente querelle idéologique — pour ou contre le fascisme italien — compromettant gravement l'unité nationale et la notion de l'intérêt français.

La remilitarisation de la Rhénanie

L'Allemagne, pour achever la destruction des clauses militaires du Traité de Versailles, n'avait plus qu'à faire rentrer ses troupes sur la rive gauche du Rhin. L'opération était depuis longtemps préparée, les observateurs français l'avaient prévue et annoncée. Mais Hitler choisit comme prétexte pour l'accomplir la ratification par le Parlement français du Pacte franco-soviétique. Celle-ci, qui n'était pas une obligation constitutionnelle, mais un usage, paraissait d'autant plus nécessaire aux partisans du Pacte que celui-ci ne s'était pas accompagné de la convention militaire escomptée, et qu'on craignait de le voir tomber en désuétude. Aussi le ministère Sarraut, qui remplace en janvier 1936 le ministère Laval et s'oriente plus à gauche, s'emploie à accélérer la procédure ; le vote de la Chambre le 27 février 1936 (353 oui contre 164 non) fait d'ailleurs apparaître une importante opposition de droite au principe même du pacte.

Le 7 mars 1936, Hitler proclame que le traité franco-soviétique annule le Pacte de Locarno, et que des détachements « symboliques » de troupes allemandes traversent le Rhin. Aussitôt Sarraut réunit son cabinet et les chefs militaires pour décider de l'action à entreprendre. Les militaires réclament, pour toute démonstration de force, le rappel des trois classes de « disponibles » ; si les Allemands résistent, il faudra sans retard décréter la mobilisation générale, et envisager la guerre. La majorité des ministres ne veut rien faire sans consulter l'Angleterre. Or le gouvernement anglais est nettement hostile à toute action militaire [1]. Telle est aussi l'attitude de la grande majorité de l'opinion publique, française aussi bien qu'anglaise. C'est même un des cas les plus nets où une opinion à peu près unanime adopte un parti que l'avenir révélera indiscutablement néfaste. On se contenta d'engager une procédure à Genève, et de préciser les accords entre France, Grande-Bretagne et Belgique.

Pourtant les conséquences de la remilitarisation de la Rhénanie sont d'une exceptionnelle gravité. Sans retard, l'Allemagne va établir, tout le long de ses frontières occidentales, les fortifications de la Ligne Siegfried ; le centre vital que constitue la Ruhr sera ainsi à l'abri de l'armée française, qui, du même coup, ne pourra plus secourir efficacement les alliés orientaux. C'est la dernière occasion d'arrêter victorieusement l'expansion hitlérienne qui se trouve perdue.

Si l'on recherche les causes de cette reculade si lourde de conséquences, il est facile d'incriminer l'aveuglement des dirigeants britanniques, la légèreté de l'opinion française plus préoccupée des élections prochaines que de la menace qui pèse sur le pays. Mais il ne faut pas oublier non plus le manque d'ardeur que manifeste à cette occasion le commandement militaire français. On a invoqué à ce propos la rigidité du système de mobilisation et de concentration, qui ne laisse aucune souplesse pour adapter la réplique à des situations différentes. Mais l'explication n'est pas complète. Tout d'abord, beaucoup considèrent que le réarmement allemand en Rhénanie s'effectue clandestinement depuis

---

1. L'attitude exacte de la Pologne à ce moment a fait l'objet de controverses dans lesquelles nous ne pouvons entrer ici.

longtemps, et que la proclamation officielle n'y ajoute rien d'essentiel. Puis les chefs français jugent sans optimisme l'état de l'armée qu'ils commandent — et qui est alors à peu près dépourvue de matériel moderne — et surestiment au contraire la rapidité du réarmement allemand. Ils considèrent que l'Allemagne — en faisant entrer en ligne de compte les formations paramilitaires — a déjà sous les armes plus d'hommes que la France. Seule, dans ce raisonnement, la mobilisation générale redonnerait alors l'avantage à la France, en mettant à sa disposition une douzaine de classes de réserves instruites dont l'Allemagne ne possède pas l'équivalent. Mais l'exigence de la mobilisation générale implique des risques politiques que le gouvernement n'a pas cru pouvoir prendre.

CHAPITRE 7

LE FRONT POPULAIRE
1936-1938

Les origines

Le Front Populaire s'est constitué en réaction à la fois contre la crise économique et surtout ses répercussions sociales, et contre le fascisme qui accumulait les succès en Europe, et dont les Ligues présentaient en France une imitation plus ou moins réussie. Il a consisté essentiellement en un rassemblement des partis de gauche et des organisations qui, d'une manière ou d'une autre, étaient liées à eux. Ce rassemblement se heurtait à de sérieux obstacles : radicaux, socialistes et communistes différaient profondément par leurs conceptions politiques, économiques et sociales ; en outre, les radicaux reprochaient aux socialistes leur refus persistant de la participation ministérielle, et les socialistes n'admettaient guère l'entrée des radicaux dans les cabinets d'union nationale ; les communistes n'avaient cessé de s'opposer aux deux autres partis par leur tactique intransigeante. La tradition syndicale française d'indépendance à l'égard des partis politiques pouvait constituer une difficulté supplémentaire. Retracer la formation du Front Populaire, c'est avant tout montrer comment ces obstacles ont été surmontés.

L'impulsion initiale fut donnée par la journée du 6 février 1934, et les inquiétudes qu'elle suscita sur le sort de la République. La C.G.T. lança en réplique un mot d'ordre de grève générale pour la journée du 12 février, et fit appel pour appuyer cette grève au Parti socialiste S.F.I.O. et à diverses organisations voisines, mais non au Parti communiste, ni à la C.G.T.U., ni à la C.F. T.C. Cependant communistes et C.G.T.U. se conformèrent au mot d'ordre, et le succès de la journée du 12 dépassa les espérances des organisateurs. Sans doute le nouveau ministère Doumergue, qui n'était pas fâché de voir apparaître un contrepoids aux manifestants du 6 et de pouvoir ainsi exercer un arbitrage, ne fit rien pour empêcher la grève, notamment dans les services publics. Mais l'attitude des militants communistes, qui se mêlèrent à la fois aux manifestants de droite du 6 février et aux socialistes et syndicalistes du 12, sans créer ni dans un cas ni dans l'autre d'incident grave, pose un problème qui ne paraît pas près d'être résolu.

Car le 12 février ne mit pas fin aux luttes entre socialistes et communistes et entre C.G.T. et C.G.T.U. C'est ainsi qu'en avril 1934 les communistes s'opposèrent violemment aux « États-Généraux du Travail » convoqués par la C.G.T., et empêchèrent par leurs menaces la tenue du meeting final. C'est à la fin de mai que le virage communiste s'amorça, sans doute décidé par Moscou puisque annoncé par un article de la « Pravda ». Faut-il penser que le gouvernement soviétique prit alors brusquement conscience que l'Allemagne de Hitler était désormais pour lui le péril majeur ? Ou que — comme certains indices le donnent à penser — Staline était depuis plusieurs mois acquis à la politique nouvelle, mais voulait se donner du temps pour imposer aux communistes — et pas seulement en France — une tactique contraire à celle qu'ils avaient suivie jusque-là ? Quoi qu'il en soit, le 27 juillet 1934 fut conclu un pacte d'unité d'action socialiste-communiste ; il ne s'étendait pas aux radicaux, et il était conclu non seulement « contre le fascisme », mais « contre les décrets-lois » (auxquels les radicaux étaient associés, puisqu'ils participaient au gouvernement).

Cependant les progrès des Croix-de-Feu (dont les effectifs décuplent dans l'année qui suit le Six Février) et l'évolution du ministère Doumergue inquiètent également les républicains traditionnels ; et c'est Maurice Thorez, secrétaire général du Parti communiste, qui propose le 9 octobre 1934 d'étendre le rassemblement aux classes moyennes et à leurs représentants les radicaux. Le chemin à parcourir peut paraître encore plus long, car il y a beaucoup moins de points communs au départ. Devant les avances des communistes, les radicaux semblent d'abord divisés et incertains. Mais dans l'été 1935 une série d'événements précipitent le rapprochement. Lors des élections municipales, dans le Ve arrondissement de Paris, Paul Rivet, président du Comité de Vigilance des Intellectuels antifascistes, est élu en bénéficiant à la fois des désistements radicaux, socialiste et communiste. Dans un autre ordre d'idées, Pierre Laval, allant à Moscou conclure le pacte franco-soviétique, obtient de son partenaire la déclaration fameuse, publiée le 15 mai :

« M. Staline comprend et approuve pleinement la politique de défense nationale faite par la France pour maintenir sa force armée au niveau de sa sécurité. »

C'est encore un brusque tournant. Jusque-là, l'accord socialo-communiste incluait le refus des crédits militaires. Désormais — malgré les réticences de certains socialistes — un grand obstacle disparaît à l'entente avec les radicaux, qui n'ont jamais accepté la mise en question de la défense nationale. Aussi, à la chute du gouvernement Flandin, des pourparlers en vue de la constitution du nouveau ministère ont lieu entre communistes, socialistes et radicaux ; ils n'aboutissent à rien, mais le précédent est créé. Et le 14 juillet 1935, un grandiose défilé de la Bastille à la Nation couronne l'édifice du Rassemblement Populaire ; cette fois, les radicaux y participent, et prêtent le serment commun, où rien ne peut les gêner :

« Nous faisons le serment de rester unis pour défendre la démocratie, pour désarmer et dissoudre les ligues factieuses, pour mettre nos libertés hors de l'atteinte du fascisme. Nous jurons, en cette journée qui fait revivre la première victoire de la République, de défendre les libertés démocratiques conquises par le peuple de France, de donner du pain aux travailleurs, du travail à la jeunesse, et au monde, la grande paix humaine. »

Cependant les communistes, pour qui le souci d'assurer en France le maximum d'appuis à la diplomatie soviétique paraît primer de plus en plus les autres considérations, rêvent d'un rassemblement encore plus large. Lors de la campagne électorale de 1936, Maurice Thorez, dans une allocution radiodiffusée, tend la main aux catholiques. La tentative n'eut pas grand succès immédiat, mais elle était révélatrice. Il tend d'ailleurs la main également, dans le même discours, aux anciens combattants devenus Croix-de-Feu.

La question du programme

La crise économique avait provoqué un grand désarroi parmi les économistes classiques et dans les pouvoirs publics, incertains et divisés à la fois sur le diagnostic et — par voie de conséquence — sur les moyens de la combattre. Mais ceux qui — socialistes ou syndicalistes — mettaient en question le régime capitaliste lui-même, furent, au moins au début, également pris au dépourvu : eux non plus ne disposaient pas de solutions immédiates pour résoudre les problèmes pressants.

Cependant des idées nouvelles ne tardèrent pas à se faire jour. Sans en retracer ici la genèse complète, il faut pourtant mentionner qu'elles se développèrent en France, pour une large part, sous l'influence du socialiste belge Henri de Man. Et c'est à l'exemple de la Belgique que la C.G.T. élabore, en 1934, son Plan du Travail. Prévenons tout de suite une confusion. De nos jours un Plan économique — et l'expression a fait fortune — se présente ordinairement comme un programme d'ensemble de production et de développement économique, réparti sur un nombre d'années limité. Le Plan de la C.G.T. de 1934 est tout autre chose : sa pièce maîtresse est la nationalisation d'un certain nombre de secteurs considérés comme les « clefs » de l'économie : le crédit, les industries de base. Par ces nationalisations — qui, laissant subsister un secteur privé, n'impliqueraient pas une transformation totale du régime économique, et à qui on pensait pouvoir rallier des appuis assez larges, non seulement dans la classe ouvrière, mais dans les classes moyennes — on s'assurerait le moyen de diriger systématiquement l'économie. Mais la question de savoir ce qu'on ferait de cet outil une fois constitué était laissée dans l'ombre.

Parallèlement à ce Plan de transformation structurelle, et sans lien direct avec lui, la C.G.T. s'efforce en 1934-1935, par une action sur les organismes internationaux de Genève, d'obtenir l'adoption à l'échelle mondiale de la semaine de quarante heures sans diminution de salaires. Revendication permanente, mais qui aurait en même temps, si elle était satisfaite, un effet sur la conjoncture : elle réduirait, pensait-on, ou supprimerait le chômage en répartissant entre un plus grand nombre d'individus la quantité de travail existante. Toujours pour lutter contre le chômage, la C.G.T. s'efforça à la même époque de lancer un programme international de grands travaux. Ces deux revendications se trouvèrent bientôt ramenées à l'échelle nationale.

Si le « Planisme » — au sens que ce mot avait à l'époque — triompha à la C.G.T. en octobre 1934, il fut rejeté en fait par le Parti socialiste S.F.I.O. au Congrès de Toulouse de mai 1934 ; ses adversaires invoquèrent essentiellement des soucis de pureté doctrinale : ils n'admettaient pas de limiter, le cas échéant, les socialisations et d'instaurer une économie mixte durable.

Après la démonstration d'unité du 14 juillet 1935, le Rassemblement Populaire se préoccupa d'élaborer un programme commun. Des commissions furent constituées, et discutèrent. La C.G.T. présenta une version revisée de son Plan de 1934. Mais celui-ci se heurta à l'opposition à la fois des radicaux, qui ne voulaient pas se laisser entraîner trop loin, et des communistes ; ces derniers invoquaient la même préoccupation de pureté doctrinale que naguère les socialistes, mais ils laissaient voir aussi le souci de ne pas effaroucher les radicaux, et de garder au Rassemblement un caractère aussi large que possible.

Finalement, le 12 janvier 1936 fut publié un programme qui n'était guère qu'une liste de revendications, ne comportant comme réformes de structure que la nationalisation des industries d'armement et la transformation du statut de la Banque de France. La politique conjoncturelle n'était pas davantage définie. Ce texte ne fut d'ailleurs pas imposé à tous les candidats se réclamant du Front Populaire, qui conservèrent toute latitude de mener chacun la campagne à leur gré. On ne peut donc sans excès d'optimisme soutenir que le Front Populaire allait aborder les élections, et ensuite le pouvoir, avec un programme commun. Mais certains mots d'ordre s'étaient mis à circuler dans les masses, et des espérances s'étaient éveillées.

Les élections et la formation du ministère Léon Blum

La réaction politique contre la menace du fascisme et les démonstrations des Ligues avait probablement joué le rôle principal dans la constitution du Rassemblement Populaire. Mais au début de 1936 la situation se transforma. Tout d'abord, le 13 février 1936, Léon Blum ayant été pris à partie et maltraité dans la rue par des militants d'extrême-droite rassemblés pour les funérailles de Jacques Bainville, la Ligue d'Action Française fut dissoute, et les autres Ligues entrèrent en sommeil ; déjà le 6 décembre 1935, Ybarnégaray au nom des Croix-de-Feu, Léon Blum et Maurice Thorez s'étaient engagés à désarmer leurs groupes de protection. Le risque d'affrontement violent s'éloignait.

D'autre part, en mars 1936, la C. G. T. et la C. G. T. U. s'unifient. Désormais le syndicalisme ouvrier — qui a déjà abandonné sa tradition apolitique pour jouer un rôle moteur dans le Rassemblement Populaire — va peser d'un poids d'autant plus lourd que les partis demeurent distincts et séparés. A la défensive contre le fascisme va succéder l'offensive sur le terrain économique et social.

Les élections ont lieu les 26 avril et 3 mai 1936. Au premier tour, chacun des partis du Front Populaire présente ses candidats. Les résultats sont les suivants :

NOMBRE DE VOIX AU PREMIER TOUR

	1932	1936
	—	—
Radicaux et apparentés	2 315 000	1 745 000
Socialistes et apparentés	2 034 000	2 206 000
Communistes	783 000	1 469 000
	5 132 000	5 420 000
Droite		4 233 000

Ce n'est pas un « raz de marée » électoral comme en connaissent certains pays. La proportion des suffrages de droite, par exemple, entre 1932 et 1936, ne recule que de 37,35 p. 100 à 35,88 p. 100. Beaucoup plus notable numériquement est, à l'intérieur de chaque bloc — « gauche » et « droite » — la polarisation vers les extrêmes. Si les communistes gagnent près de 700 000 voix — et c'est le grand bouleversement politique de 1936 — les radicaux en perdent près de 600 000.

C'est là une des manifestations du changement d'attitude de l'électeur de gauche moyen à l'égard des communistes. Le second tour en apportera une autre. En effet, la règle du désistement en faveur du représentant du Front Populaire le plus favorisé est largement observée par les candidats (on a relevé, pour 424 ballotages, 59 cas d'indiscipline, dont 8 seulement au détriment des communistes) et cette fois les électeurs suivent. Les résultats définitifs se présentent ainsi :

NOMBRE DE SIÈGES

	Avant les élections	Après les élections	Gains ou pertes
Partis du Front populaire			
Communistes	10	72	+ 62
P.U.P. [1] ou assimilés	11	10	— 1
Socialistes S. F. I. O.	97	146	+ 49
U.S.R. [2]	45	26	— 19
Radicaux	159	116	— 43
	322	370	+ 48
Partis non adhérents au Front populaire			
Indépendants	22	11	— 11
Gauche radicale	66	13	— 35
Démocrates populaires	23	23	
Républicains de gauche	99	84	— 15
U.R.D.	77	88	+ 11
Conservateurs	6	11	+ 5

1. Le parti d'Unité Prolétarienne avait été formé par des communistes dissidents.

2. L'Union Socialiste Républicaine était constituée principalement par les « néo-socialistes » qui s'étaient séparés de la S.F.I.O. en 1933.

Ces résultats font clairement apparaître l'écrasement du Centre radical. Ils paraissent avoir surpris les dirigeants du Front Populaire eux-mêmes. Alors qu'ils s'attendaient à un nouveau ministère dirigé par les radicaux, c'est à la S.F.I.O., principal parti et axe de la majorité, qu'incombe la charge de former le gouvernement. Charge redoutable, non seulement en raison de la situation, mais parce qu'elle retombe sur des hommes qui n'ont jamais exercé le pouvoir, et qui non seulement manquent d'expérience, mais sont gênés d'avoir à remplir — dans le cadre du régime capitaliste — des fonctions qui s'accordent mal avec leurs principes traditionnels. Leurs difficultés sont encore aggravées du fait que les communistes, pour des raisons mal éclaircies (ils offriront un peu plus tard de participer à des gouvernements à direction radicale), refusent leur participation, tout en promettant un soutien loyal. Léon Blum constitue donc, le 4 juin, un ministère socialiste et radical — réservant en principe aux socialistes les portefeuilles économiques et sociaux, laissant aux radicaux les Affaires Étrangères et la Défense Nationale. Pour la première fois — innovation qui fut très remarquée à l'époque — des femmes entraient au gouvernement.

La période des actes (juin-septembre 1936)

Il n'est pas excessif de dire que les réalisations essentielles du Front Populaire ont toutes été acquises durant les quatre premiers mois du ministère Léon Blum. Cette hâte — qui comportait évidemment le risque de prendre des mesures insuffisamment étudiées — ne s'explique pas uniquement, ni même principalement, par l'impatience d'agir d'une équipe de néophytes. En fait, le gouvernement a été poussé en avant, bousculé par les espoirs et les désirs pressants qui voyaient dans le bouleversement politique une occasion unique de s'exprimer et de se réaliser. C'était surtout le cas des masses ouvrières qui non seulement réagissaient contre des années de déflation, de compression des salaires et de chômage, mais aussi s'imaginaient pouvoir d'un coup mettre fin à une longue subordination et transformer — sans trop préciser comment — les relations sociales dans l'entreprise.

Ainsi s'explique la vague d'occupations d'usines — ou « grèves sur le tas » — qui déferle sur la France de la mi-mai à la mi-juin 1936. Cette forme de lutte assez neuve et tout à fait contraire au droit français — mais qui avait des précédents, notamment dans l'Italie des années 1919-1920 — pouvait s'expliquer par des considérations pratiques : c'était, en période de chômage, un moyen sûr de faire grève sans perdre son emploi au profit d'un chômeur. Mais elle correspondait aussi au sentiment que les ouvriers éprouvaient confusément d'avoir un certain droit de propriété sur leur travail et sur l'usine. En tout cas le mouvement éclata spontanément ; les organisations syndicales ou politiques — y compris les communistes — ne firent que le suivre en s'efforçant de le canaliser ; et il menaça un moment de déborder le gouvernement Blum en voie de formation. Au début de juin, on pouvait compter entre 1 et 2 millions de grévistes, et le mouvement, limité jusque-là à certaines industries — comme la métallurgie — risquait, en s'étendant, de paralyser la vie quotidienne, et peut-être de provoquer de vives réactions du public qui eussent étouffé dans l'œuf l'expérience du Front Populaire. Aussi, sitôt son ministère investi par la Chambre, Léon Blum mit-il en présence les représentants de la C.G.T. et du grand patronat, et parvint-il à leur faire signer ce qu'on appela l'Accord Matignon (7 juin 1936) : il comportait une augmentation générale des salaires de 10 à 15 p. 100, des textes sur la généralisation des conventions collectives de travail [1], la désignation de délégués ouvriers, les garanties de la liberté syndicale. Le gouvernement y ajouta une loi du 22 juin 1936 instituant la semaine de 40 heures sans diminution de salaires, et une loi du 20 juin 1936 établissant des congés payés. C'était aller au-delà du programme du Rassemblement Populaire, qui ne mentionnait pas les congés payés et ne spécifiait pas la réduction de la durée du travail à obtenir. Et

---

1. Il y en avait eu quelques-unes après 1919, mais le système ne s'était guère développé.

pourtant, malgré ces succès foudroyants, la reprise du travail fut lente et souvent difficile : preuve que beaucoup de travailleurs attendaient autre chose, sans bien savoir quoi.

Un effort comparable était fait pour l'agriculture — en dépit des réticences des radicaux qui laissaient volontiers les ouvriers aux socialistes et aux communistes, mais étaient portés à se réserver le monde paysan. Ce fut l'établissement, le 15 août 1936, de l'Office National Interprofessionnel du Blé — sorte d'organisation coopérative du marché avec l'appui et les subventions de l'État. La mesure était importante, car la dépression profonde et prolongée des prix agricoles constituait, notamment en France, un des éléments principaux de la crise économique. Et son orientation en fut, sous une forme ou sous une autre, largement imitée.

Enfin, le 21 juillet, un premier « train » de grands travaux était présenté à la Chambre ; il était relativement modeste : 1 milliard jusqu'à la fin de l'année ; mais on envisageait de dépenser 20 milliards en 4 ans.

Faut-il incorporer dans cet ensemble la dévaluation du franc, annoncée le 27 septembre sous la forme d'un accord monétaire franco-anglo-américain ? Le gouvernement avait promis avec éclat quelque temps auparavant de ne pas la faire, mais en cette matière les dénégations officielles sont à la fois peu probantes et obligatoires, car, comme le dit L. Blum lui-même : « sitôt qu'un gouvernement se met à parler de la dévaluation, elle est faite ». En réalité, les socialistes avaient adopté une position très nuancée vis-à-vis de la thèse de Paul Reynaud. Ils auraient même, a-t-il été dit, proposé d'envisager l'éventualité d'une dévaluation lors de la discussion du programme du Rassemblement Populaire, mais se seraient heurtés alors à l'opposition des radicaux et des communistes. Et il apparaît que les négociations avec les autorités monétaires anglaises et américaines furent engagées dès le mois de juin. Quoi qu'il en soit, on peut soutenir à la fois que la dévaluation était « dans l'héritage » de la législature précédente, et qu'elle ne contrariait pas l'ensemble des mesures économiques du Front Populaire, qui au contraire la supposait.

Mécanisme d'un échec

Bien que le programme du Rassemblement Populaire n'ait été finalement qu'un catalogue de revendications, et bien que l'action du gouvernement Léon Blum ait été bousculée par les événements, il serait erroné de croire que la cascade des mesures prises dans ces derniers mois ne répondait pas à une pensée directrice. Aux yeux de Léon Blum et de ses conseillers — sinon de certains dirigeants de la C.G.T. — la crise économique n'était pas due à la surproduction, mais à la sous-consommation. Le véritable remède consistait donc à augmenter le pouvoir d'achat, et particulièrement le pouvoir d'achat des plus pauvres, qui passe immédiatement à la consommation et n'est pas thésaurisé. Le raisonnement ne manquait pas de cohérence, et revendiquait en outre comme précédents certains aspects de l'expérience Roosevelt. Les massives augmentations de salaires résultant des accords Matignon, l'Office du Blé qui aboutissait à un accroissement du pouvoir d'achat rural, la mise en route d'un programme de grands travaux, autant d'applications logiques de cette théorie.

Assurément cette politique ne pouvait s'accomplir sans hausse des prix intérieurs. Mais le retournement du mouvement des prix est toujours le signe que l'économie entre dans une nouvelle phase : ici le début de la hausse des prix devait normalement marquer la fin de la crise. Il est vrai que les prix français étaient déjà plus élevés que les prix mondiaux ; l'application de la politique du pouvoir d'achat rendait donc encore plus inévitable une dévaluation du franc qui de toute façon s'imposait. D'ailleurs, la reprise de la production devait limiter la hausse des prix : par augmentation de l'offre, par répartition des charges fixes des entreprises sur un plus grand nombre d'unités produites, etc.

Mais la semaine de 40 heures, dont l'idée avait été lancée par la C.G.T., se rattachait à une conception toute différente : celle qui expliquait la crise par la surproduction. Or accroître la consommation par la politique du pouvoir d'achat, et réduire la production par diminution générale de la durée du travail, c'est aboutir à un télescopage, sitôt absorbés les stocks de produits consommables (et ils ne peuvent être très élevés, car une entreprise ne peut longtemps, sous peine de faillite, produire sans vendre). Ce qui se passe alors, c'est que les hausses de salaires sont annulées par les hausses de prix. Effectivement, l'indice des prix de 34 articles passe de 451 en avril 1936 à 580 en avril 1937. Et si l'on représente les salaires réels (c'est-à-dire le « pouvoir d'achat ») par 100 en avril 1936, cet indice n'est plus qu'à 93 en mars 1937 [1]. La politique de développement du pouvoir d'achat a donc totalement échoué.

Mais du moins la semaine de 40 heures n'a-t-elle pas permis de résorber le chômage ? Ici encore l'échec est à peu près total, et moins aisément compréhensible. On compte, en février 1936, 487 000 chômeurs ; en janvier 1937, 426 000 ; en octobre 1937, 319 000 ; en décembre 1937, 365 000 ; en février 1938, 412 000 [2] ; et cela alors que l'application du service militaire de 2 ans retire désormais à la production 100 000 jeunes gens supplémentaires. Comment expliquer ce paradoxe ?

C'est que les entreprises industrielles sont des organismes complexes et délicats, qui s'accommodent mal de mesures simplistes et rigides. En particulier, les travailleurs ne sont pas interchangeables ; ceux qu'on licencie le plus aisément, et qui se retrouvent donc au chômage, sont ordinairement les moins qualifiés, disons les manœuvres. Or la semaine de 40 heures, telle qu'elle fut appliquée en 1936, réduisait uniformément d'un sixième l'activité de tous les postes de travail et de tout le personnel, y compris les cadres et les ouvriers qualifiés. Et il ne fut pas possible de compenser cette réduction en créant de nouveaux postes de travail, pour lesquels on n'avait souvent pas la place ni le matériel, et pour lesquels surtout on ne pouvait embaucher le personnel compétent. Ainsi la production demeura stagnante (l'indice, pour 1929 = 100, était de 78 en 1936, 82 en 1937, 76 en 1938).

---

1. Chiffres fournis par G. Lefranc. Bien entendu, il s'agit d'un indice global, et la situation varie selon les catégories.

2. Ici encore nous reprenons les chiffres de G. Lefranc, en faisant toutes réserves sur l'imperfection des statistiques de chômage à cette époque.

La politique du Front Populaire entraînait naturellement un important déficit budgétaire. Mais ce risque était accepté. Il fut couvert par des emprunts, et des avances de la Banque de France (elles passèrent de 12 milliards au 2 octobre 1936 à 32 milliards au 30 décembre 1937) ; mais celles-ci ne provoquèrent pas une seconde fois le drame de 1925. De même le gonflement de la dette publique — 347 milliards au 31 mai 1936, 369 milliards au 20 juin 1937 — peut apparaître comme relativement modeste.

Par contre, la hausse rapide des prix intérieurs entraîna, malgré plusieurs dévaluations successives, un déséquilibre croissant de la balance commerciale.

MILLIONS DE FRANCS

		Importations	Exportations
		—	—
Août	1936	1 764	1 173
Septembre	—	1 862	1 190
Octobre	—	2 247	1 460
Novembre	—	2 707	1 720
Décembre	—	3 013	1 637
Janvier	1937	3 319	1 773
Février	—	3 681	1 695

Un déficit commercial poussé si loin ne pouvait manquer d'entraîner un déficit de la balance des comptes, d'où des sorties d'or et des crises de change ; le contrôle des changes, que réclamèrent à plusieurs reprises certains éléments du Front Populaire, eût été inopérant si l'on ne s'en fût pris, en même temps et par des mesures nécessairement impopulaires, aux causes même du mal. Ce n'est pas faute d'avoir appliqué certaines recettes que l'expérience Léon Blum échoua.

Le déclin du Front Populaire (octobre 1936-janvier 1938)

Devant la persistance du chômage et de la stagnation économique, et la montée du coût de la vie, l'agitation sociale renaît et ne cesse plus. Les radicaux effrayés ne tardent pas à freiner le Front Populaire accusé d'aller trop loin, et prennent peu à peu leurs distances vis-à-vis de lui. En sens inverse, les communistes et surtout certains socialistes mettent les déceptions sur le compte de la timidité du gouvernement, qu'ils voudraient pousser à des mesures plus hardies. L'opposition, un moment désemparée, reprend la lutte avec une violence particulière contre des adversaires désunis. Ainsi pourrait-on résumer les mois qui suivent, où l'enthousiasme du début retombe et fait place aux rancœurs ; ajoutons que l'affaire d'Espagne, dont nous parlerons plus loin, vient envenimer encore la situation.

La persistance des troubles sociaux constitue le problème fondamental ; une tentative pour y mettre fin par un nouvel accord Matignon se heurte au refus du patronat (28 novembre 1936). Le gouvernement s'oriente alors dans une autre voie, et fait voter le 31 décembre 1936, malgré les réticences syndicales, la loi sur l'arbitrage obligatoire ; formule intéressante et qui donne pendant quelques mois d'appréciables résultats, mais qui ne saurait résister à une aggravation du climat social ou de la situation économique.

La violence renouvelée des luttes politiques ne saurait aboutir à des résultats décisifs tant que la majorité parlementaire garde sa cohésion. Mais elle donne lieu à des épisodes douloureux. Le ministre de l'Intérieur Roger Salengro est acculé au suicide (18 novembre 1936) par une campagne calomnieuse. Une réunion des Croix-de-Feu provoque à Clichy une contre-manifestation socialiste et communiste qui se heurte brutalement au service d'ordre, et il y a des morts (16 mars 1937).

Inquiet des difficultés qui s'accumulent, Léon Blum cherche à contenir ses troupes et proclame la « pause » (13 février 1937) sans définir avec précision en quoi elle doit consister. Puis, devant la crise financière, il paraît s'orienter vers des mesures de contrainte, et est alors renversé par le Sénat (22 juin 1937), encouragé sans doute par la méfiance croissante des radicaux de la Chambre.

Le ministère Blum est remplacé par un ministère Chautemps. Au cabinet de Front Populaire à direction socialiste succède un cabinet de Front Populaire à direction radicale. En principe, l'étiquette reste la même, la majorité aussi ; les communistes offrent même sans succès de participer au nouveau gouvernement. Mais l'esprit a changé. Chautemps, qui a confié les Finances à un autre radical, Georges Bonnet, louvoie pendant quelques mois, Mais à la fin de l'année éclate une nouvelle crise sociale particulièrement grave, atteignant notamment les usines travaillant pour la défense nationale et les services publics. Il en résulte une rupture ouverte entre radicaux et communistes, et le 15 janvier 1938, le ministère Chautemps, disloqué, démissionne.

Dès lors le Parlement s'oriente vers une nouvelle formule — « unanimité nationale » que Léon Blum lui-même tentera sans succès en mars 1938 — ou concentration excluant les communistes et du même coup privée des socialistes. De toute façon, le Front Populaire a vécu.

Mais il serait peu réaliste de juger de son importance historique d'après sa brève et décevante existence. En fait, que ce soit dans le domaine des rapports sociaux de l'industrie ou dans celui du rôle de l'État en matière économique, le Front Populaire a joué un rôle d'initiateur, et les conséquences de son action se développeront particulièrement à l'issue de la Seconde Guerre Mondiale.

Les affaires extérieures : la guerre civile espagnole et le retour de la Belgique à une politique de neutralité

L'expérience du Front Populaire, outre ses difficultés internes, fut sérieusement compliquée et contrariée par les événements extérieurs. L'affaire d'Éthiopie et la remilitarisation de la Rhénanie faisaient peser d'avance une lourde hypothèque. Néanmoins Léon Blum tint à affirmer dès son arrivée au pouvoir son attachement à la sécurité collective et à l'entente franco-anglaise ; il prêta toujours aussi une grande attention à l'opinion américaine. En somme, en politique extérieure le Front Populaire n'innova pas, mais suivit au contraire la tradition la plus solide.

Mais il fut aux prises dès son avènement avec un problème grave et inattendu. Le 17 juillet 1936, un coup d'État militaire vint menacer par surprise la République espagnole, établie depuis 5 ans, et dominée alors par un « Frente Popular » assez analogue d'inspiration à son homonyme français. Le coup de force ne réussit qu'à moitié, et fut le point de départ d'une guerre civile atroce qui allait durer près de 3 ans. Aussitôt, le gouvernement espagnol demanda, et obtint, une promesse d'appui du ministère Léon Blum. Mais il devint bientôt évident que les insurgés, commandés par le général Franco, étaient de leur côté soutenus par l'Italie, et dans une moindre mesure par l'Allemagne. C'était ainsi tout l'équilibre européen qui se trouvait remis en cause.

La situation posait à Léon Blum un problème singulièrement embarrassant. L'Angleterre était nettement favorable à une attitude d'abstention. En France l'opinion était passionnément divisée. L'opposition était presque toute favorable à Franco ; à l'intérieur de la majorité les radicaux étaient méfiants à l'égard de toute intervention ; les communistes au contraire s'employèrent à fond pour le soutien de la République espagnole, et souvent leur attitude et leurs votes furent commandés par cette question plutôt que pour des raisons de politique intérieure ; dans le reste du Front Populaire, s'opposèrent ceux pour qui la solidarité envers les républicains espagnols primait tout, et ceux qui faisaient passer leur pacifisme avant leur antifascisme. Aux considérations idéologiques venait se mêler le souci de la sécurité française ; chacun voyait le danger d'ajouter à la menace de l'Allemagne et de l'Italie une troisième frontière hostile en Espagne ; mais les uns en déduisaient la nécessité d'assurer la victoire de la République espagnole, les autres de ne pas encourir le mauvais vouloir du général Franco dont ils considéraient comme certain le triomphe final.

Léon Blum avait le souci de ne pas se séparer de l'Angleterre, et surtout il était hanté par la crainte que la guerre civile ne s'étendît à la France et ne fournît ainsi à Hitler une occasion inespérée d'intervenir. Aussi, dès le 1er août, proposa-t-il un accord international visant à assurer la non-intervention des puissances étrangères en Espagne ; il obtint l'agrément de 27 nations, notamment l'Angleterre, l'Italie, l'Allemagne et l'U.R.S.S. Mais l'Italie et l'Allemagne ne respectèrent pas leurs engagements, et accordèrent au contraire à Franco un soutien militaire de plus en plus important. En présence de ces manquements, le gouvernement français prit le parti de fermer les yeux sur les volontaires et les armes qui franchissaient les Pyrénées en direction des secteurs républicains ; l'U.R.S.S. envoya du matériel à la République espagnole, mais en raison de son éloignement géographique elle utilisa largement le territoire français comme relais.

Finalement le drame espagnol n'eut pas de très graves répercussions sur la situation diplomatique et militaire de la France, car Franco, une fois vainqueur au début de 1939, maintint soigneusement sa neutralité. Les conséquences furent plutôt d'ordre intérieur : l'affaire d'Espagne contribua beaucoup à briser l'unité morale du Front Populaire.

L'affaire belge présente des caractères inverses ; elle passa sur le moment à peu près inaperçue de l'opinion, mais entraîna de redoutables conséquences. La Belgique avait depuis 1920 avec la France une alliance militaire. Mais depuis plusieurs années, en raison notamment de l'agitation flamingante et du remplacement du roi Albert Ier par Léopold III, la politique belge s'orientait dans des voies différentes. A la veille même de la réoccupation de la Rhénanie [1], le traité franco-belge fut dénoncé. Et en novembre 1936, la Belgique définissait officiellement une politique « d'indépendance ».

Ce qui aggrava les choses, c'est que la France, à la suite de l'Angleterre, donna à la Belgique une garantie unilatérale d'assistance en cas d'agression. Or, du temps de l'alliance, il avait été convenu, sur le plan militaire, que les Belges appelleraient l'armée française assez tôt pour lui permettre d'occuper et d'organiser une position de résistance couverte d'une ligne d'eau continue, constituée par la Meuse et le Canal Albert. Dans sa nouvelle situation diplomatique, la Belgique ne pouvait faire appel à la

---

1. Il n'est donc pas exact d'expliquer le revirement belge par la passivité française lors de l'affaire de Rhénanie.

France qu'une fois l'offensive ennemie déclenchée, trop tard par conséquent pour permettre aux troupes françaises d'atteindre le Canal Albert. On envisagea dès lors de les porter simplement sur ce qu'on appela la ligne de la Dyle — en fait une ligne droite tracée de Namur à Anvers, sans fortifications ni obstacles naturels. C'était s'exposer à tous les aléas d'une bataille de rencontre. Ainsi l'évolution des rapports franco-belges entraînait l'état-major français dans une stratégie dangereuse.

Le réarmement

L'expérience du Front Populaire s'est déroulée dès le début dans un climat de périls extérieurs croissants. La remilitarisation .e la Rhénanie a pris place peu de temps avant les élections. Le 24 août 1936, Hitler a porté à deux ans la durée du service militaire en Allemagne. Enfin, au mois de novembre s'ébauche « l'Axe Rome-Berlin ».

Les socialistes, une fois au pouvoir, ont vite pris conscience du danger. Et, quelles qu'aient été leurs positions antérieures, ils se sont joints aux radicaux, sans réserves, pour effectuer le plus grand effort de défense nationale entrepris depuis 1919. A l'automne 1936 est adopté un programme d'armements de 14 milliards de francs, répartis sur 4 ans, assorti d'une clause d'augmentation automatique en fonction de la hausse des prix. Cet effort faisait suite à une période où les crédits pour le matériel militaire avaient été comprimés à l'extrême, et où l'on avait simplement élaboré les prototypes modernes qu'il s'agissait maintenant de fabriquer en série. Ce n'est pas que les gouvernements de 1934 et 1935, qui précisément revendiquaient pour la France une politique extérieure indépendante, aient délibérément négligé la défense nationale ; mais, pratiquant une politique financière générale de déflation, ils pouvaient difficilement procéder en même temps à une augmentation massive des crédits militaires. Au contraire, le gouvernement de Front Populaire, subordonnant le souci de l'équilibre budgétaire au désir de relancer l'économie, avait à cet égard les coudées plus franches.

On a pourtant imputé au Front Populaire de lourdes responsabilités dans l'insuffisante préparation de l'armée française. Les troubles sociaux, les grèves, la semaine de quarante heures, ont été particulièrement incriminés ; il semble — bien que des évaluations de ce genre soient très aléatoires — que tous ces facteurs aient pu entraîner un retard de 2 à 3 mois dans les fabrications d'armement. On a reproché également à la nationalisation des industries de guerre d'avoir désorganisé la production. Cette loi a connu à vrai dire un destin singulier ; elle avait été inscrite au programme du Rassemblement Populaire comme une mesure essentiellement politique, destinée à briser la puissance des « marchands de canons », qu'on estimait menaçante pour la paix du monde. On s'aperçut, à l'application, que les industries d'armement étaient faibles, dispersées, somnolentes, encore artisanales, et on s'efforça de faire servir la loi de nationalisation à l'effort d'équipement et de rationalisation indispensable.

Comment expliquer alors les retards de l'armement français en 1940 ? Quelques chiffres feront pressentir la réponse. Au plan français des 14 milliards correspondaient, à des dates et pour des durées comparables, des dépenses de 15 milliards en Angleterre et 40 milliards en Allemagne [1]. Et l'effort financier français n'aurait pu être beaucoup plus grand sans outrepasser la capacité de production de l'économie française : en 1937, la part de l'Allemagne dans la production mondiale de biens d'équipement est de 14,4 p. 100, celle de la Grande-Bretagne de 10,2 p. 100, celle de la France de 4,2 p. 100 (U.R.S.S. 14 p. 100, États-Unis 41,7 p. 100). C'est la Grande-Bretagne qui a négligé de mobiliser ses ressources au même point que ses voisines, et on peut dire que — sans nier les effets de l'inertie bureaucratique, de la mauvaise volonté de certains industriels, des mécontentements ouvriers — les gouvernements au pouvoir depuis 1936 ont obtenu de la France à peu près ce que permettait son potentiel industriel.

1. Bien entendu, on voit circuler beaucoup d'autres chiffres très différents, et la France elle-même a finalement dépensé beaucoup plus. Nous avons retenu les ordres de grandeur qu'il est le plus légitime de comparer.

CHAPITRE 8

LA CHUTE

Munich

C'est au moment précis où le Front Populaire se dissocie, et où la France est à la recherche d'une nouvelle majorité et d'une nouvelle formule de gouvernement, que l'Allemagne met la main sur l'Autriche (11-12 mars 1938). On a beaucoup épilogué, en sens divers, sur cette coïncidence. En fait, les puissances occidentales pouvaient difficilement sauver l'indépendance autrichienne, d'ailleurs minée de l'intérieur, dès lors qu'elles ne pouvaient plus compter pour ce faire sur la coopération de l'Italie qui était la mieux placée géographiquement pour intervenir. Or la première conséquence de l'établissement de l'Axe Rome-Berlin est que Mussolini renonce à empêcher Hitler d'annexer l'Autriche.

Les conséquences de l' « Anschluss » — ou réunion de l'Autriche à l'Allemagne — n'en sont pas moins graves. Non seulement l'Allemagne voit ses forces accrues, mais la Tchécoslovaquie est désormais encerclée, et ses défenses sont tournées par le Sud. Or dès ce moment personne ne doute que la Tchécoslovaquie sera la victime de la prochaine agression hitlérienne. L'occasion en est toute trouvée : les frontières montagneuses couvrant le quadrilatère de Bohême sont habitées en grande partie par une population germanique, qui n'a jamais fait partie de l'Allemagne proprement dite, mais où il est facile de faire naître un sentiment « irrédentiste » : ce sont les Allemands des Sudètes.

La Tchécoslovaquie est liée à la France par un pacte d'assistance mutuelle. Et lorsqu'un second ministère Blum éphémère est remplacé, le 10 avril 1938, par un ministère Daladier — qui durera deux ans — le problème tchécoslovaque se pose dès la constitution du ministère. Daladier, ministre de la Défense Nationale depuis 1936, pense que la France n'est pas prête, militairement, à un grand conflit. Le programme de réarmement lancé à l'automne 1936 n'a pas encore atteint, industriellement, la phase des fabrications à pleine cadence. Daladier renonce alors à garder comme Ministre des Affaires Étrangères Paul Boncour, partisan d'un soutien déterminé à la Tchécoslovaquie et de la fermeté à l'égard de l'Allemagne, et prend à sa place Georges Bonnet [1], partisan d'une politique de concessions. Mais quelles concessions, et jusqu'à quelle limite ? C'est ce que personne ne semble avoir conçu très clairement. D'ailleurs Daladier, qui a renoncé à la formule du Front Populaire et ne compte plus de socialistes dans son ministère, ne s'appuie pas sur une majorité cohérente même en politique intérieure. Et tous les partis, sauf les communistes, sont divisés entre partisans des concessions et partisans de la fermeté — on dira plus tard entre « munichois » et « antimunichois ». Aucun gouvernement ne pourrait se former ou se maintenir s'il prenait clairement parti sur la question dominante. Aussi la politique française apparaîtra-t-elle jusqu'au bout incertaine et équivoque.

Sitôt constitué, le gouvernement Daladier se tourne vers l'Angleterre, et des entretiens franco-anglais ont lieu les 28 et 29 avril. L'Angleterre n'a jamais contracté d'engagement envers la Tchécoslovaquie, et le gouvernement conservateur de Neville Chamberlain paraît entretenir à l'égard de la politique hitlérienne d'étranges illusions ; mais l'Angleterre est en fait trop

---

1. Georges Bonnet a été peu de temps auparavant ambassadeur à Washington. Peut-être y a-t-il acquis la conviction qu'il ne fallait pas compter sur l'appui des États-Unis.

liée à la France pour être sûre de demeurer à l'écart d'un conflit éventuel ; aussi, tout en faisant remarquer aux Français qu'ils ne sont pas en état, militairement, d'apporter aux Tchèques un secours efficace, le gouvernement anglais accepte-t-il peu à peu de se charger de la recherche d'un compromis, auquel la France devra amener son alliée tchèque à consentir.

Cependant Georges Bonnet fait le tour des concours sur lesquels la France pourrait compter pour défendre la Tchécoslovaquie. Le plus important serait celui de l'U.R.S.S., liée elle-même à la Tchécoslovaquie par un traité d'assistance qui doit jouer si le traité franco-tchèque lui-même entre en jeu. L'U.R.S.S. se déclare prête à tenir cet engagement ; mais elle n'a de frontière commune ni avec l'Allemagne ni — à ce moment-là — avec la Tchécoslovaquie. Il faudrait donc que ses troupes puissent passer par la Pologne, ou à la rigueur par la Roumanie. Or la Pologne — elle-même en mauvais termes avec la Tchécoslovaquie — refuse catégoriquement le passage. La Roumanie le refuse aussi, avec peut-être moins d'énergie, mais la voie d'accès par la Roumanie est singulièrement étroite, et serait aisément paralysée par l'aviation allemande. Sur le continent, la France et la Tchécoslovaquie seraient donc réduites à leurs seules forces.

Mais ce désavantage ne pourrait-il être compensé par la perspective à long terme d'un vaste rassemblement des ressources britanniques et américaines venant d'au-delà des mers ? Le 4 septembre 1938, lors de l'inauguration d'un monument à la Pointe de Grave, Georges Bonnet fait une allusion inattendue et imprudente à l'aide américaine, qui amène aussitôt un démenti formel du Président Roosevelt. Ne s'agit-il pas d'une maladresse calculée, destinée à désarmer en France les partisans de la fermeté ?

Et en fait la France laisse de plus en plus les mains libres à l'Angleterre dans la recherche décevante d'un compromis. Chaque concession péniblement imposée aux Tchèques amène aussitôt de la part des Allemands des Sudètes, dociles aux ordres de Hitler, des exigences nouvelles et de plus en plus exorbitantes, qui vont de l'autonomie au fédéralisme, puis au rattachement à l'Allemagne. Faute de pouvoir entrer dans le détail, on peut indiquer d'un mot les différentes étapes : mission de Lord Runciman en Tchécoslovaquie (août 1938) ; démarche du Premier britannique Chamberlain auprès d'Hitler à Berchtesgaden (15 septembre) ; nouvelle entrevue Hitler-Chamberlain à Godesberg près de Bonn (22-23 septembre) ; enfin conférence de Munich, entre Hitler, Mussolini, Chamberlain et Daladier (29 septembre). C'est à Munich que fut imposé aux Tchèques, qui n'étaient ni présents ni consultés, un accord qui les privait de provinces économiquement fondamentales, et où se trouvaient au surplus leurs lignes de défense naturelles et leurs fortifications. La Pologne et la Hongrie ne tardèrent pas à réclamer leurs parts des dépouilles. La Tchécoslovaquie réduite à l'impuissance était pratiquement livrée à l'arbitraire hitlérien.

L'Accord de Munich n'a pas cessé d'être passionnément discuté. Il n'est plus guère possible de soutenir aujourd'hui les arguments fréquemment avancés alors par ses partisans, notamment celui du droit des nationalités, ou de l' « injustice » du Traité de Versailles ; la Tchécoslovaquie n'était certes pas moins viable que l'ancien empire austro-hongrois. Pas davantage ne peut-on nier que la France a alors manqué à ses engagements, et que sa conduite est moralement difficile à justifier. Un seul argument peut être invoqué en faveur de Munich, mais qui est décisif s'il est pleinement vrai : l'impossibilité de faire autrement. Les événements ultérieurs ont évidemment donné à cette considération une force particulière ; il est probable que l'armée française était en 1938, comme elle le sera en 1940, très nettement inférieure à l'armée allemande ; en particulier, elle était alors totalement dépourvue d'aviation moderne ; par contre, la construction de la Ligne Siegfried n'était pas achevée, de sorte qu'une offensive française n'était pas impossible ; quant aux capacités de résistance des Tchèques, on manque évidemment de base pour les apprécier objectivement.

Un dernier point doit pourtant être souligné : Munich ne fut pas le point de départ d'une nouvelle politique des puissances occidentales, politique qui eût consisté à laisser à l'Allemagne les mains libres à l'Est. Hitler put un moment le croire, encouragé par le pacte de non-agression anglo-allemand signé à Munich même le 30 septembre. Quand le 6 décembre la France signa un traité analogue — mais en réservant explicitement ses engagements pré-existants — Georges Bonnet eut peut-être la velléité de donner à l'Allemagne un accord tacite pour son expansion orientale ; mais s'il fit ce calcul, il ne fut pas en mesure de l'imposer à l'opposition, de plus en plus résolue, qui se dressait contre sa politique.

Le redressement économique

Tandis que les affaires extérieures passent ainsi au premier plan de l'actualité, l'économie française continue à souffrir des maux qui ont fait échouer l'expérience de Front Populaire : stagnation de la production, dépréciation monétaire, agitation sociale.

Le gouvernement Daladier essaie d'y remédier, d'abord d'une manière timide et en ordre dispersé. Le 5 mai 1938, il décide une stabilisation de fait de la monnaie par action du Fonds d'égalisation des changes. A la fin d'août, il prend des mesures pour « assouplir » la loi de quarante heures, en permettant les heures supplémentaires ; deux ministres démissionnent à cette occasion, mais ils sont aussitôt remplacés sans difficulté : indice que le climat politique a changé. Enfin, en novembre, l'arrivée de Paul Reynaud au ministère des Finances donna aux mesures de redressement un caractère plus hardi et plus systématique : par des mesures de renforcement de la fiscalité Paul Reynaud s'attaqua à l'une des grandes causes de la dépréciation monétaire, qui était le déficit budgétaire. En réévaluant l'encaisse-or de la Banque de France sur la base de la nouvelle parité de fait du franc (27,5 milligrammes d'or au lieu de 43 milligrammes) on se donnait le moyen d'amortir les avances extraordinaires de la Banque à l'État ; c'était aussi marquer clairement que la période du franc flottant était terminée. Enfin la faculté pour les entreprises d'imposer des heures supplémentaires (payées à tarif majoré) fut généralisée, et Paul Reynaud donna même à cet aménagement une allure quelque peu provocante (« Il faut en finir avec la semaine des deux dimanches »).

La C.G.T. tenta de réagir, d'abord par des grèves partielles, puis en lançant un mot d'ordre de grève générale pour le 30 novembre 1938. C'était compter sans la désillusion et la lassitude des travailleurs. En outre, le mouvement, lancé officiellement contre les décrets-lois, était aussi présenté par beaucoup de ses promoteurs comme une protestation contre l'Accord de Munich. Mais sur ce point le mouvement syndical était très divisé ; les « munichois » ne pouvaient combattre avec une ardeur entière le gouvernement qui avait maintenu la paix ; et pour les « anti-munichois », était-il logique de défendre un état de choses qui gênait la production industrielle, et donc la défense nationale ? Quoi qu'il en soit, la tentative de grève générale fut un échec. Et le reflux de la vague d'expansion syndicale, déjà commencé, s'accéléra.

Les mesures gouvernementales — et aussi l'échec de la grève, qui dissipa les appréhensions de bien des milieux industriels, — renversèrent immédiatement la tendance financière : les capitaux exportés rentrèrent, les emprunts d'État se revalorisèrent, facilitant le placement des bons nécessaires à la défense nationale.

La reprise de la production commença également à se dessiner :

INDICES

	De la production industrielle	Du revenu national en volume
	—	—
1929	100	100
1935	73	83
1936	78	82
1937	82	85
1938	76	84
1939	86 [1]	90

1. Pour 1939, moyenne des 7 premiers mois ; chiffres de MARCEL HENRY, art. cit., *Banque*, sept. 1964.

On était encore loin, évidemment, des niveaux d'activité de 1929 ; du moins l'économie était-elle sur la bonne voie, et la fin de la crise paraissait en vue.

Le raidissement français et le double revirement anglais et russe

L'Italie mussolinienne, toujours dominée par la crainte de voir Hitler se servir seul et le désir de faire payer son concours, même platonique, ne tarda guère à vouloir profiter elle aussi de l'accord de Munich. Mais c'est vers la France qu'elle se tourna. Dans les derniers mois de 1938 et au début de 1939, elle s'efforça de faire valoir diplomatiquement des revendications portant sur Djibouti, Suez, le statut des Italiens de Tunisie. Mais, imprudemment, ces demandes s'accompagnèrent d'une campagne de démonstrations publiques, précédée d'une séance théâtrale à la Chambre des faisceaux et corporations, et où il fut question de la Corse, de Nice et de la Savoie. La réaction de l'opinion et du gouvernement français fut un refus énergique ; les partisans de concessions à l'Italie — tels A. de Monzie — étaient peu nombreux et ne soulevèrent pas grand écho. Cet épisode apparemment peu sérieux ne fut pourtant pas sans conséquences psychologiques et politiques. Ceux qui ne croyaient pas à la possibilité ou à la nécessité d'arrêter l'expansion allemande en Europe Centrale préconisaient volontiers jusque-là la thèse du « repli impérial » — entendons par là que la France devait se borner à défendre ses possessions. Cette thèse devenait difficile à soutenir en présence de revendications italiennes directes dont on croyait qu'elles seraient appuyées, le moment venu, par l'Allemagne. La signature du « Pacte d'Acier », entre l'Italie et l'Allemagne le 22 mai 1939, devait encore renforcer cette impression.

Un autre événement allait avoir des répercussions beaucoup plus graves : le 15 mars 1939, Hitler occupait militairement ce qui restait de la Tchécoslovaquie. Cet acte produisit sur l'opinion britannique un véritable choc : non seulement Hitler violait par là l'Accord de Munich — n'en avait-il pas usé de même à l'égard de tous ses engagements précédents ? — mais il était impossible désormais de présenter son action comme une mise en pratique du principe des nationalités, puisqu'il soumettait maintenant à l'Allemagne des populations non-allemandes. Devant l'indignation publique, le gouvernement Chamberlain dut, probablement à contrecœur, adopter une politique exactement contraire à celle qu'il avait toujours suivie jusque-là ; il donna sa garantie à tous les petits pays qui pouvaient, à un moment ou à un autre, se trouver menacés par l'Allemagne ou l'Italie. La France, déjà liée elle-même à bon nombre de ces pays, ne pouvait que suivre. Le 23 mars, une déclaration anglo-française promet un appui armé à la Hollande, à la Belgique et à la Suisse ; le 31 mars, c'est le tour de la Pologne, et le 13 avril, de la Grèce et de la Roumanie. Le 12 mai, Grande-Bretagne et Turquie signent un pacte d'assistance mutuelle ; la France fait de même le 23 juin, mais après des négociations délicates qui aboutissent à la cession à la Turquie du sandjak d'Alexandrette.

Mais les garanties à la Pologne et à la Roumanie ne peuvent guère avoir d'effet si l'U.R.S.S. n'y est pas associée. Aussi le gouvernement anglais se décide-t-il, non sans réticences et arrière-pensées, à entrer dans une négociation anglo-franco-russe ; celle-ci se traîne du mois d'avril jusqu'au milieu d'août sans aboutir. C'est qu'elle se heurte à deux obstacles fondamentaux. D'une part, la Pologne ne veut à aucun prix laisser le passage aux troupes russes ; or comment la Russie pourrait-elle défendre la Pologne contre les Allemands, sans pénétrer sur son territoire ? D'autre part, l'U.R.S.S. demande une garantie franco-anglaise contre toute pénétration allemande dans les États baltes, même si cette pénétration emploie des moyens politiques et non militaires ; l'Angleterre et la France répugnent à garantir ces pays en dépit d'eux-mêmes.

D'ailleurs, dès le 10 mars 1939, Staline prend l'initiative de faire des avances à l'Allemagne, malgré l'opposition idéologique fondamentale qui, au moins depuis 1935, dresse Allemagne et U.R.S.S. l'une contre l'autre. Ce revirement est probablement, quoique avec un certain retard, la conséquence de l'Accord de

Munich ; Staline a dû se persuader qu'il ne pouvait compter sur l'appui des puissances occidentales, et calculer qu'il valait mieux détourner vers l'Ouest la menace hitlérienne. Le 29 mai, Hitler décide de répondre favorablement à ces avances. Des négociations très secrètes et très prudentes s'engagent alors, parallèlement aux discussions anglo-franco-soviétiques. Elles aboutissent le 24 août à un traité, dont la partie officielle consistait en un pacte de non-agression ; mais un protocole secret délimitait des zones d'influence russes et allemandes, notamment en Pologne.

L'entrée en guerre

C'est à l'occasion de la Pologne que le conflit éclate.

Jusqu'au dépècement de la Tchécoslovaquie résultant de Munich, les relations polono-allemandes étaient restées bonnes. Mais dès la fin d'octobre 1938, Hitler fait connaître à la Pologne ce qu'il attend d'elle : officiellement, le retour de Dantzig à l'Allemagne, et des voies de communication « extra-territoriales » entre la masse de l'Allemagne et la Prusse Orientale ; secrètement, Hitler escompte sans doute que la Pologne se prêtera, comme satellite, à ses projets d'expansion vers l'Ukraine. Mais la Pologne refuse catégoriquement de s'engager dans cette voie ; elle ne veut rien concéder, pas plus à l'Allemagne qu'à la Russie. Et à la fin de mars 1939, le conflit germano-polonais devient public. Mais Hitler espère encore au début, semble-t-il, qu'il disposera de la Pologne comme il a disposé de la Tchécoslovaquie, sans intervention armée des puissances occidentales.

C'est sous le coup de la menace qui pèse sur la Pologne que se déroulent les négociations avec l'Angleterre et la Russie que nous avons rappelées. Lorsqu'elles se terminent la situation est claire : l'Angleterre et la France, qui se sont engagées à secourir la Pologne, ne peuvent compter sur aucun appui russe ; or, tout indique que l'attaque allemande en Pologne est imminente.

Dès le 23 août, le Président du Conseil Daladier convoque le Comité permanent de la Défense Nationale : il s'agit de savoir si la France est en état d'affronter la guerre. Les chefs militaires donnent une réponse nuancée, qui sera plus tard interprétée en sens divers. Le général Gamelin ne laisse pourtant pas ignorer qu'il compte que la Pologne pourra tenir jusqu'au printemps suivant, et qu'il n'est pas en état de lui apporter un appui sérieux dans les quinze premiers jours des hostilités. Le général Vuillemin, qui s'était prononcé très catégoriquement contre l'entrée en guerre au moment de Munich, reconnaît dans une lettre écrite 3 jours après le Comité que l'aviation française a fait de sérieux progrès depuis lors, et que dans six mois on pourra combattre sans trop de désavantage, à condition qu'un gros effort soit accompli d'ici-là pour la D.C.A. Malgré ces réticences, les responsables militaires ne déconseillent pas formellement l'intervention armée en faveur de la Pologne [1]. Il est douteux pourtant que le chef du gouvernement ait été très réconforté par ces avis : il ne crut pas cependant pouvoir renouveler l'opération de Munich, alors que les illusions qui l'avaient fait accepter alors s'étaient dissipées. Surtout, le changement d'attitude de l'Angleterre, désormais acquise à la politique de fermeté, se révéla décisif.

Hitler avait hâte d'en finir avec la Pologne avant que la saison des pluies vînt paralyser l'avance de ses colonnes motorisées. Pourtant l'attaque, prévue d'abord pour le 26 août, fut retardée de quelques jours, en raison de la résolution anglaise — manifestée par la signature d'une alliance anglo-polonaise — et de la dérobade de l'Italie, qui n'était pas prête à entrer en guerre immédiatement aux côtés de l'Allemagne. Des tentatives de conciliation se produisirent alors, auxquelles le ministre français des Affaires Étrangères, Georges Bonnet, se raccrocha jusqu'au bout. Mais elles n'aboutirent à rien, car Hitler s'était finalement décidé à prendre le risque du conflit avec l'Angleterre et la France.

Le 1er septembre, les troupes allemandes pénètrent en Pologne, et le 3 septembre, à 6 heures d'intervalle, l'Angleterre, puis la

---

1. Gamelin dira plus tard qu'il a demandé alors à son subordonné immédiat, le général Georges, s'ils devaient déclarer solennellement tous deux ne pouvoir accepter la lutte ; Georges aurait répondu qu'ils ne pouvaient faire cette déclaration.

France, entrent officiellement en guerre. Mais — détail significatif — le gouvernement français s'est borné à demander au Parlement des crédits extraordinaires « pour faire face aux obligations résultant de la situation internationale ». A vrai dire, peu de gens sans doute se trompent sur la portée de ce vote, acquis sans débat. Mais le Parlement, reflet de l'opinion publique, n'est pas résolu : il est simplement résigné à l'inévitable. Il est frappant que les discussions passionnées auxquelles avait donné lieu le cas tchécoslovaque ne se soient pas renouvelées à propos de la Pologne. Tout est dit désormais.

Cette atmosphère n'est pas due aux dangers de la situation, dont la plupart n'ont encore qu'une conscience très imparfaite. Mais l'entrée en guerre de 1939 — si différente de celle de 1914 — représente par elle-même l'effondrement de tous les espoirs nés vingt ans auparavant : espoirs, pour les uns, que les fruits de la victoire seraient durables ; espoirs, pour les autres, que s'instaurerait une paix permanente. En dépit des violents affrontements politiques des uns et des autres, n'était-ce pas au fond le même vœu ?

La « drôle de guerre » (septembre 1939-10 mai 1940)

En un mois, la Pologne cessa d'exister : le 14 septembre 1939, les armées allemandes du Nord et du Sud faisaient leur jonction à l'Est de Varsovie, le 17 septembre, les troupes russes pénétraient à leur tour dans les territoires polonais ; le 28, Varsovie capitulait. L'armée française avait borné son action en faveur de l'allié qui avait été l'occasion de l'entrée en guerre, à un simulacre d'offensive en Sarre, qui s'était arrêté avant d'aborder la Ligne Siegfried.

Ce simple fait montre clairement à quel point l'État-Major français s'est lié à une stratégie d'attente. Au contraire, Hitler manifeste la plus grande hâte d'exploiter son succès. Il tente d'abord une exploitation diplomatique : le 6 octobre, dans un discours au Reichstag, il offre à l'Angleterre et à la France la paix sur la base de la consécration des faits accomplis (en y ajoutant une allusion à des revendications coloniales). Le 10, Daladier répond, publiquement lui aussi : « nous ne déposerons (les armes) que lorsque nous aurons la garantie d'une sécurité qui ne soit pas mise en question tous les six mois ». Hitler alors pousse fièvreusement les plans d'une offensive à l'ouest, fixée d'abord au mois de novembre, puis au mois de janvier 1940 ; mais les circonstances — et la résistance de ses généraux — amènent des ajournements successifs de l'exécution. Ces projets avortés sont naturellement ignorés en France à l'époque. Durant l'hiver 1939-1940, rien ne se produit, pas même des bombardements aériens, si redoutés.

On s'aperçoit alors que les conceptions militaires qui se sont imposées au commandement français depuis la dernière guerre ne sont guère en harmonie avec le tempérament national, qui n'est pas celui de la longue patience. Cette attente sans terme défini aggrave la démoralisation — déjà latente lors de l'entrée en guerre — dans de telles proportions, que certains mettront l'accalmie prolongée des opérations militaires sur le compte d'un profond machiavélisme psychologique de Hitler : il « laisse pourrir la guerre », dit-on, pour l'emporter ensuite sans coup férir. Supposition tout à fait contraire à la réalité. Mais le fait est que beaucoup ne comprennent plus pourquoi on continue la guerre, et s'efforcent sans chercher plus loin de garder ou de retrouver l'état d'esprit ou les habitudes du temps de paix. Certains d'ailleurs considèrent toujours que l'ennemi véritable est plutôt l'U.R.S.S. que l'Allemagne, et cet état d'esprit se manifeste lorsque, le 30 novembre, les troupes soviétiques envahissent le territoire finlandais ; au gouvernement on ébauche même des projets en vue de venir en aide à la Finlande. L'attitude des communistes français fournit d'ailleurs des motifs à cette opinion : après quelques troubles de conscience au moment de la conclusion du pacte germano-soviétique, les chefs communistes, dès l'entrée des troupes russes en Pologne, adoptent une politique de sabotage de la défense nationale ; et à partir d'octobre, la répression s'exerce contre eux.

L'atmosphère du pays se reflète au Parlement. Sans doute celui-ci vote-t-il le 2 décembre les pleins pouvoirs au gouvernement pour la durée de la guerre. Mais il ne renonce pas pour autant à ses droits de surveillance et de critique. La capitulation de la Finlande (12 mars 1940) fournit l'occasion d'une offensive politique. L'action du gouvernement est discutée en comité secret, le 14 mars au Sénat, le 19 mars à la Chambre. Et le 20 mars un ordre du jour de confiance n'obtient que 239 voix, en face de 300 abstentions. Le ministère Daladier démissionne.

Son remplacement est difficile, car les opposants — qui ont pris le parti de s'abstenir — se rattachent à deux opinions contraires : les uns reprochent à Daladier sa mollesse, et réclament une conduite plus énergique de la guerre ; les autres estiment, sans le dire ouvertement, que mieux vaudrait tâcher de faire la paix. C'est Paul Reynaud, champion des initiatives hardies, qui est chargé de former le cabinet ; il tente de réaliser l'union nationale nécessitée par la guerre, et fait entrer les socialistes au gouvernement. Mais dans l'état d'esprit qui règne alors, il se heurte à de grandes difficultés ; parmi ceux qui ne croient pas vraiment à la guerre, les soucis de politique intérieure et même les considérations personnelles gardent une importance considérable ; et ceux qui songent à la paix sont naturellement hostiles à Paul Reynaud. Celui-ci, bien qu'il fasse des concessions notables et garde Daladier à la Défense Nationale, n'obtient lors de sa présentation à la Chambre que 268 voix favorables ; il y a 156 votes hostiles, et 111 abstentions. Paul Reynaud songe à renoncer, mais sa démission rendrait la situation inextricable. Seuls les événements militaires peuvent, dans un sens ou dans l'autre, amener la solution.

Puisqu'il n'est pas question de chercher la décision par une offensive directe sur le front fortifié de l'Ouest, force est de recourir à la stratégie « périphérique », c'est-à-dire d'essayer de créer des théâtres d'opérations secondaires, où l'on pourrait remporter des succès limités et en tout cas détourner une partie des forces de l'ennemi. Dès le début de la guerre, une conception de ce genre a déterminé l'envoi en Syrie du général Weygand. Il s'agissait, selon le précédent de la Grande Guerre, de reconstituer une sorte de « Front de Salonique », en appuyant par des troupes françaises les États balkaniques menacés par l'expansion allemande : Roumanie et Yougoslavie notamment. Cette tentative n'aboutit à rien : les moyens mis à la disposition de Weygand étaient trop faibles, les États balkaniques furent promptement découragés par l'effondrement polonais ; on craignait au surplus, en agissant dans les Balkans, de déclencher l'intervention italienne.

Mais la guerre russo-finlandaise attira l'attention des belligérants sur la Scandinavie. Son importance provenait particulièrement du fait que le minerai de fer à haute teneur employé par l'industrie allemande provenait de gisements suédois, et était acheminé en grande partie par mer, dans les eaux territoriales norvégiennes. C'était l'occasion pour la marine anglaise de prouver son utilité : en effet, depuis le début de la guerre, la flotte allemande, très inférieure, refusait le combat ; et le blocus maritime, qui était l'un des principaux avantages attendus du concours britannique, devenait inopérant dès lors que l'Allemagne, non seulement utilisait la neutralité italienne, mais avait le libre accès aux matières premières de l'Est. Dès le 16 février un destroyer britannique avait pris à l'abordage le navire allemand « Altmark » dans les eaux norvégiennes. Sur l'insistance de Paul Reynaud, les alliés, le 8 avril, commencèrent à mouiller des mines sur le trajet des cargos allemands transportant du minerai, le long de la Norvège : la « route du fer » était coupée. Quelques heures après, les troupes allemandes envahirent le Danemark et la Norvège ; l'opération, évidemment décidée à l'avance, prit par surprise le commandement allié, qui ne réagit d'abord qu'avec ses forces navales. Ce n'est que le 19 avril que des troupes anglaises et françaises débarquèrent, recueillirent les débris de l'armée norvégienne, mais ne purent s'avancer vers l'intérieur. La tentative de diversion se terminait en échec. Il en résulta en France une crise intérieure : Paul Reynaud voulut mettre fin aux fonctions du généralisisme Gamelin, qu'il rendait responsable de l'insuccès, et devant l'opposition de Daladier, le 9 mai le ministère était démissionnaire. Mais les événements en décidèrent autrement.

La « guerre-éclair » (10 mai 1940-25 juin 1940)

a) *Les forces en présence.*

Pour apprécier équitablement le rapport des forces au 10 mai 1940, il ne suffit pas d'aligner sur deux colonnes parallèles les nombres d'unités et les principaux matériels. Il faut d'abord se rendre compte que les deux états-majors, français et allemand, ne sont pas prêts à mener la même guerre, et que chacun dispose des moyens adaptés à ses conceptions, et non à celles de l'adversaire. Le commandement français s'est préparé à mener sur un front continu une guerre d'usure de longue durée ; les Allemands, qui ont besoin d'une décision rapide, ont tout misé sur le mouvement. Cette dernière conception s'imposera ; aussi ne doit-on logiquement faire entrer en ligne de compte que les forces immédiatement disponibles et susceptibles de se déplacer. C'est ainsi qu'une notable partie du matériel français se trouve dans les dépôts de l'arrière, ce qui est normal dans une guerre d'usure où il faut prévoir un remplacement régulier et continu de ce qui est détruit ; mais il ne pourra être jeté à temps dans la bataille. La France a un net avantage en artillerie, tant lourde que légère ; mais celle-ci, encore souvent à traction hippomobile, ne pourra ni se déplacer assez vite, ni ajuster son tir sur un ennemi toujours en mouvement.

L'armée allemande aligne sur le front Ouest 117 divisions ; en face les Français n'en ont que 94, auxquelles il faut ajouter une dizaine de divisions britanniques, mais non les 22 divisions belges dont le commandement français ne disposera pratiquement pas. L'infériorité quantitative des Français est aggravée par l'infériorité qualitative : conséquence de la situation démographique, une partie beaucoup plus grande de l'armée française est composée de réservistes déjà âgés, qu'on n'a d'ailleurs pas suffisamment repris en main et réentraînés durant la « drôle de guerre » ; la France n'a rien d'équivalent à la jeunesse fanatisée qui constitue les divisions de choc adverses. A cette faiblesse en partie inévitable des « divisions B » françaises s'en ajoute une autre qui tient à l'organisation : l'armée française compte une vingtaine de divisions « de forteresse », inutilisables en dehors des casemates de la Ligne Maginot.

Le fer de lance de l'armée allemande est constitué par 10 divisions blindées (Panzerdivisionen), regroupées par deux ou par trois en corps autonomes. L'armée française possède trois divisions légères mécaniques (D.L.M.) conçues pour la reconnaissance et non pour la percée, et seulement deux divisions cuirassées (et une troisième en formation). Le nombre de chars d'assaut est pourtant sensiblement le même des deux côtés (2 500 environ) et les chars français au combat valent largement les chars allemands. Mais ceux-ci agiront en masse, et en fonçant droit devant eux assureront aux manœuvres allemandes une rapidité irrésistible. Les chars français au contraire, même regroupés en divisions cuirassées ou mécaniques, seront voués au soutien de l'infanterie, ce qui les paralysera. Il n'eût d'ailleurs pas suffi, pour qu'il en fût autrement, de les regrouper à la veille de la bataille : car une division blindée, pour agir de façon autonome, a besoin d'un entraînement spécial prolongé, et également d'un matériel de transmissions, de ravitaillement en carburant, etc., qui n'était pas au point même dans les divisions cuirassées françaises. On avait élaboré en France d'excellentes armes antichars : canon de 25, canon de 47, mais les unités en ligne n'en avaient encore qu'une dotation insuffisante, et surtout beaucoup de pièces n'étaient pas autotractées.

L'inégalité majeure se situait dans le domaine de l'aviation, et pour bien la comprendre il faut, négligeant les chiffres globaux, retenir seulement les appareils les plus modernes : pour les autres, prendre l'air équivaut à un suicide. Les Allemands ont 1 200 bombardiers, les Français 200 (les Anglais sont mieux pourvus, mais leurs appareils resteront basés en Grande-Bretagne). Ainsi les Allemands pourront agir fortement sur les arrières du champ de bataille, sans que les Français soient en mesure de leur rendre la pareille. Le nombre d'avions de reconnaissance est à peu près le même de chaque côté (400 environ), mais l'appareil français (Potez 63) est sans défense devant la chasse allemande. L'Allemagne dispose, pour agir directement sur le champ de bataille, de 400 bombardiers en piqué « Stukas », arme peu maniable et peu précise, mais dont l'effet psychologique sera redoutable, surtout dans les premières journées, et qui constituera souvent l'agent principal de la percée ; la France n'a pour le même usage que quelques Bréguets d'assaut, d'une conception différente, et qui décevront à l'usage. Pour la chasse, les 600 appareils français (Morane, Curtiss, Dewoitine) pourraient, bien que plus lents en général, tenir tête individuellement aux 1 000 Allemands (Messerschmitt) ; on espérait même arriver à l'égalité ou à la supériorité numérique avec l'aide des excellents chasseurs anglais (Hurricane, Spitfire) ; mais un quart seulement de ceux-ci viendront sur les bases françaises et pourront être utilisés dans la bataille. Mais surtout la chasse française aura, avec moins d'appareils, à faire face à beaucoup plus de tâches que la chasse allemande, en raison de la force des bombardiers allemands, et aussi en raison de l'énorme supériorité allemande en canons anti-aériens (9 300 pièces contre 1 600 de notre côté). Aussi les chasseurs français ne pourront-ils se montrer partout où leur présence eût été indispensable.

L'armée française abordait donc la bataille dans des conditions d'infériorité évidentes. Cette infériorité tenait pour une part, assurément, à la doctrine même du commandement. Est-il possible de conclure — comme on l'a soutenu — que si le réarmement français, à partir de 1936, avait été orienté selon d'autres conceptions, la partie en 1940 eût pu être égale (compte tenu du fait que l'Allemagne était encore loin d'avoir mobilisé toute sa puissance industrielle) ? Ce n'est pas certain, car l'infériorité était générale, et le plus souvent considérable, pour les matériels les plus modernes, ceux dont les prototypes n'étaient pas élaborés avant 1935. Et l'excellence de nos ingénieurs ne pouvait suppléer à la production de masse.

b) *Les opérations.*

Le 10 mai au matin, les forces allemandes pénètrent en Belgique, au Luxembourg et en Hollande.

Cette offensive était depuis longtemps prévue, de même que la réplique : les troupes françaises se portaient en Belgique à la rencontre de l'ennemi. Mais nous savons déjà que la réplique comportait plusieurs variantes : la plus sûre était de s'établir sur une ligne Meuse-Canal Albert, mais pour y arriver avant l'ennemi il fallait s'y transporter à l'avance ; durant la « drôle de guerre », le général Gamelin avait essayé d'en obtenir la permission des Belges, au besoin en menaçant, en cas de refus, d'occuper simplement la ligne de l'Escaut pour couvrir l'agglomération lilloise, abandonnant le reste de la Belgique à son sort. N'ayant pas obtenu gain de cause, il se résigne, le 10 mai, à ordonner la « manœuvre Dyle » selon laquelle l'armée française et le corps anglais devraient s'installer en position de résistance au milieu des plaines belges. Circonstance aggravante : on prétendait venir également au secours des Hollandais, en poussant à l'extrême Nord, au-delà d'Anvers, la seule armée française qu'on eût pu garder en réserve, la VIIe (général Giraud). Ainsi se trouvaient aventurées à découvert nos meilleures troupes, les plus mobiles, et pourvues du matériel le plus moderne.

La manœuvre française pivotait autour d'une charnière, constituée par la Meuse de Sedan à Namur. Or cette charnière était très faiblement tenue ; la IXe armée (général Corap), qui se portait sur la Meuse belge, et la IIe (général Huntziger), qui demeurait appuyée à Sedan, étaient trop peu nombreuses pour leur front, et composées en grande partie de divisions B, c'est-à-dire de réservistes âgés. On comptait sur les obstacles naturels : la profonde coupure de la Meuse, le massif forestier des Ardennes où les routes sont rares. On n'avait pas songé que les amples méandres de la Meuse offraient, au contraire, à des assaillants de multiples possibilités.

Or c'est là que l'armée allemande, après bien des discussions, a décidé de porter l'essentiel de son effort : près de la moitié des divisions d'infanterie, et 7 « Panzer » sur 10. Le 13 mai, des troupes allemandes s'infiltrent au-delà de la Meuse Belge, où la IXe armée n'a pas eu le temps de s'installer partout sur ses positions de défense ; le même jour elles passent en force à l'ouest de Sedan, grâce à une attaque concentrée des « Stukas » et aussi, il faut le dire, à une défaillance de la troupe et du commandement français.

Les jours suivants, en dépit de renforts français qui arrivent trop tard et de contre-attaques trop faibles, les Allemands exploitent leurs percées ; se lançant rapidement vers l'Ouest, ils débordent par le Nord et par le Sud la IXe armée ; celle-ci doit abandonner la ligne de la Meuse, et se volatilise littéralement au cours de la retraite.

Pour comprendre ce phénomène, dont l'état-major français mettra plusieurs jours à s'apercevoir, il faut faire intervenir un facteur nouveau : l'exode des populations civiles. Il avait été prévu, dès avant l'entrée en guerre, de procéder d'une manière systématique et ordonnée à l'évacuation de tous les habitants d'une zone d'une quinzaine de kilomètres de large qui devait constituer la ligne probable du front (et aussi de tous ceux dont la présence n'était pas indispensable dans les grandes villes, menacées par les bombardements aériens) : cette conception dérivait de la guerre de position de 1914-1918, où effectivement les civils n'avaient pas leur place sur la ligne du front. Devant la rapidité de l'avance allemande, les populations de zones de plus en plus étendues, pleines des souvenirs de la guerre précédente, s'abandonnent à un exode de plus en plus vain, sur les routes où, sans même parler des difficultés du voyage, elles seront rapidement rejointes et dépassées, le cas échéant, par les colonnes ennemies, et en tout cas serviront de cible aux bombardiers. Les mouvements des renforts français seront souvent paralysés par le flot continu des réfugiés, qui au contraire, pour des raisons évidentes, ne gênera guère les Allemands. Les troupes en retraite de l'armée Corap ou de l'armée Huntziger, désorganisées et ayant perdu la liaison avec leurs chefs, se trouveront noyées parmi les civils et emportées par une commune débâcle.

Dès le 16 mai, les avant-gardes allemandes approchent de Laon et de la vallée de l'Oise ; c'est la route traditionnelle des invasions vers Paris, et le commandement français aura désormais pour premier souci de couvrir la capitale, en reconstituant une ligne de défense face au Nord. Mais c'est vers l'Ouest que se précipitent les blindés allemands ; et le 20 mai, ils atteignent la mer au-delà d'Abbeville. Au Nord de leur percée, 45 divisions françaises, anglaises et belges se trouvent encerclées et coupées du reste de l'armée.

Coupure encore théorique : car l'infanterie allemande n'a pu suivre la progression foudroyante des blindés, et entre les deux éléments se creuse un vide qui par moments atteint 100 kilomètres. Attaquer dans ce vide, du Nord et du Sud, et séparer ainsi les « Panzer » allemandes de leur base, est la manœuvre qui s'impose au commandement français, à la simple vue de la carte. Elle est effectivement ordonnée ; mais après quelques tentatives d'exécution trop partielles et trop tardives, elle sera abandonnée. Expliquer pourquoi, c'est comprendre en même temps comment la guerre a été perdue.

Une première raison est que le 19 mai, Gamelin, manifestement débordé par les événements, est relevé de son commandement et remplacé par Weygand qu'on rappelle de Syrie. Le temps pour Weygand de se rendre compte de la situation et de prendre ses dispositions, deux journées se passent, alors que chaque heure compte. D'autres contretemps surviennent qu'on ne peut énumérer ici. Mais les vraies causes sont plus profondes. L'attaque française à partir du Sud ne peut avoir de véritable ampleur : les troupes commencent à peine à se mettre en place, et ne pourraient d'ailleurs trop s'avancer sans découvrir Paris. C'est du Nord, des armées encerclées, que devrait venir l'effort principal. Mais dans la guerre qu'elles ont apprises, une offensive se monte lentement, a besoin d'une forte préparation d'artillerie préalable, suppose qu'on se garde solidement sur ses flancs et sur ses arrières. La guerre de mouvement qu'elles devraient mener maintenant est tout à l'inverse : sans procéder à des tirs d'artillerie qui tomberaient dans le vide, il faudrait attaquer tout de suite, à fond, avec toutes les forces dont on dispose, et sans même attendre qu'elles soient réunies ; quelles que soient les péripéties du combat, une bonne partie des armées du Nord parviendraient certainement à rejoindre le gros des troupes françaises, et avec leur matériel, donc en état de continuer le combat. Mais pendant ce temps, les Allemands bousculent les Belges au Nord, et à l'Ouest les Panzer remontent le long de la côte, attaquent Boulogne et Calais ; devant ces menaces sur leurs flancs et leurs arrières, l'instinct des chefs militaires d'alors, sans exception, est de reculer, au lieu d'avancer. Ainsi les armées du Nord se trouvent-elles enfermées dans une poche de plus en plus étroite autour de Dunkerque. Le 27 mai, le roi des Belges capitule sans conditions. Le 4 juin, les Allemands pénètrent dans Dunkerque, ayant achevé de

« résorber la poche ». Sans doute, les jours précédents, 235 000 Britanniques (sur 250 000) et 110 000 Français (sur 380 000) ont pu se rembarquer : du point de vue aéronaval, c'est un exploit. Mais ces troupes ont dû abandonner tout leur matériel ; elles sont donc inutilisables pour de longs mois. Dans les perspectives de la bataille immédiate, tout se passe comme si le groupe d'armées du Nord était anéanti.

C'est donc avec une cinquantaine de divisions que le général Weygand va devoir affronter, depuis la baie de la Somme jusqu'au Rhin, les 120 divisions allemandes. Il a pourtant réussi à reconstituer un front continu, mais sans profondeur ni réserves. Les troupes ont appris à tenir tête aux bombardiers en piqué et aux chars, mais non à manœuvrer, et elles n'ont plus les moyens de contre-attaquer.

Le 5 juin, commence la grande offensive allemande vers le Sud. Presque aussitôt, une percée se produit à l'Ouest, vers Forges-les-Eaux et la basse Seine. Pourtant, dans l'ensemble, ce qui reste de l'armée française fait bonne contenance, au point de mériter les félicitations du général en chef. Mais le 10 juin intervient la percée décisive en Champagne. Dès lors les troupes françaises, ne pouvant plus reconstituer nulle part de ligne de résistance, n'ont plus d'autre perspective qu'une retraite sans but, où elles se disloquent rapidement. Certes, on peut donner lien des exemples de résistance héroïque : à Saumur, sur la ligne Maginot, dans les Alpes, ailleurs encore. Mais en France la guerre est perdue.

Le bilan de cette campagne peut s'établir ainsi : 84 000 tués, 1 500 000 prisonniers, 6 à 8 millions de réfugiés campés loin de chez eux. Le contraste avec les chiffres de 1914-1918 fait ressortir à merveille, si l'on y réfléchit, les caractéristiques de cette guerre de mouvement : les pertes et les destructions sont relativement réduites, mais la vie de la nation est totalement désorganisée.

L'armistice

Pour faire face à cette brusque cascade de désastres la France n'a qu'un gouvernement fragile, sans majorité réelle à la Chambre, discuté dans le pays. En outre, le Président du Conseil Paul Reynaud n'a pas confiance dans le général en chef Gamelin, et tente de s'en débarrasser à la veille même du 10 mai. L'offensive allemande interrompt provisoirement le conflit, mais à la suite de la percée des Ardennes et devant le désarroi visible du haut commandement, Paul Reynaud, le 19 mai, relève Gamelin de ses fonctions. Décision explicable, car Gamelin a montré, outre une intelligence par trop ondoyante, une propension marquée à esquiver la responsabilité directe de la bataille. Néanmoins, le changement du commandant en chef fera perdre deux jours ; or, dans une campagne de mouvement aussi rapide, le moindre délai peut être fatal.

De plus, Paul Reynaud fait appel pour remplacer Gamelin au général Weygand, officier qui a depuis plusieurs années dépassé la limite d'âge et qui, rappelé au service, se trouve en Syrie. Et le 18 mai, un remaniement ministériel fait du Maréchal Pétain un vice-président du Conseil. Par ces nominations, Paul Reynaud cherche avant tout à provoquer un sursaut moral du pays, en utilisant le prestige de deux vieux soldats glorieux. Mais, du même coup, il lui sera très difficile de décider contre leurs avis.

Or Weygand, une fois l'isolement des armées du Nord dans la poche de Dunkerque rendu définitif, n'a qu'une perspective : constituer une ligne de résistance ultime de la Somme ou de la basse Seine aux Vosges, et, si celle-ci craque, demander l'armistice. C'est ce qu'il fait pressentir dans une note au Président du Conseil dès le 29 mai, avant de réclamer l'armistice avec insistance le 12 juin. Et dans cette exigence de l'armistice, Weygand a le complet appui du maréchal Pétain.

En face de cette volonté clairement exprimée, le gouvernement, désemparé, flotte entre plusieurs éventualités : obtenir des Anglais qu'ils dégagent la France de sa promesse de ne pas conclure d'accord séparé ; constituer un « réduit breton » où le gouvernement se réfugierait, pour partir de là au-delà des mers, tâcher de connaître les conditions de l'ennemi, avec l'illusion qu'on pourrait ensuite les discuter, voire les rejeter. Les événements bousculent ces hommes en désarroi, soumis à une tension nerveuse insoutenable. Le 10 juin, le gouvernement quitte Paris, tandis que l'Italie mussolinienne, se croyant désormais à l'abri de tout risque, entre en guerre contre la France. Les journées cruciales des 11, 12 et 13 juin voient les autorités dispersées le long de la vallée de la Loire, avec des liaisons très imparfaites. Le drame verra sa conclusion à Bordeaux, les 15 et 16 juin, dans des installations improvisées. Paul Reynaud en est venu finalement à l'idée que le gouvernement se transporterait en Afrique du Nord, tandis que l'armée de France capitulerait par ordre, selon les précédents norvégien, hollandais et belge. Pétain et Weygand s'opposent violemment à cette solution, n'admettant qu'un armistice qui engage le gouvernement et le pays tout entier. Finalement, Paul Reynaud — bien qu'il soit encore appuyé, semble-t-il, pour la majorité de ses collègues — cède la place à un ministère Pétain qui se trouvait tout préparé.

Tout aussitôt, le 17 juin, le gouvernement Pétain demande l'armistice, qui — à la suite des retards délibérés des Allemands — est finalement signé le 25 juin. L'armistice coupe la France en deux zones : une zone occupée au Nord et à l'Ouest, couvrant les deux tiers du pays et les régions les plus actives ; une zone non occupée, au Centre et au Sud-Est. Ces zones, sans rapports avec la situation effective des armées à la date de l'armistice, ont été préparées à l'avance selon une intention politique : les Allemands occuperont la totalité des côtes de l'Atlantique, afin d'empêcher toute relation entre la France et l'Angleterre. Dans la zone non occupée subsistera un gouvernement français nominalement indépendant, qui devra maintenir sous son autorité les territoires d'outre-mer. Les stipulations concernant la flotte française — grande préoccupation des Anglais — sont assez ambiguës pour fournir l'occasion de nouveaux drames.

Les conséquences désastreuses de l'armistice sortent du cadre de cet ouvrage : elles sont d'ailleurs dans toutes les mémoires. Pour être tout à fait équitable, il faut pourtant se rappeler que la plupart de ceux qui réclamaient l'armistice étaient persuadés que l'Angleterre allait bientôt mettre fin à une guerre qu'ils jugeaient désormais sans espoir. Dans cette perspective, prolonger la lutte quelques semaines au-delà des mers n'avait guère de sens.

C'était méconnaître à la fois l'Angleterre [1] et l'aspect mondial du problème. Mais quel eût été le destin d'un gouvernement français réfugié en Afrique du Nord ? Par une singulière ironie de l'Histoire, il dépendait étroitement de l'attitude qu'adopterait l'Espagne du général Franco. Si Hitler décidait de lancer ses armées vers le Sud et si Franco leur livrait passage, il n'était guère possible de les arrêter au détroit de Gibraltar, de les empêcher de prendre pied au Maroc espagnol et de balayer de là toute l'Afrique du Nord. Dans le cas contraire, l'Afrique du Nord, même s'il n'avait pas été possible d'y replier beaucoup de troupes françaises, avait de quoi se défendre, appuyée par les escadres franco-anglaises, contre toute attaque partie de Sicile ou de Tripolitaine. Ainsi la France eût le mieux préservé ses chances.

La fin de la République

Abandonnant Bordeaux dont les Allemands approchaient, les pouvoirs publics se réfugièrent au cœur du Massif Central, pour s'établir finalement à Vichy. La grande majorité des parlementaires ne tardèrent pas à les y rejoindre, convoqués par radio en vue de procéder à une réforme constitutionnelle.

Mais ils étaient, comme le pays lui-même, écrasés par l'événement, et le déracinement les privait de leur ressort moral et de leur capacité de résistance. Ils étaient de surcroît paralysés par leur impopularité : la masse des Français les rendait eux-mêmes, ainsi que leur régime, responsables de ses malheurs. Ils constituaient un bouc émissaire commode, qu'on pouvait char-

---

1. Signalons toutefois qu'à ce moment certains membres du gouvernement britannique auraient cherché à prendre contact avec Hitler.

ger des fautes de la nation tout entière : car, comme après 1871, la défaite amena des réflexions sur la décadence morale et sociale de la France ; et, chose curieuse, ce furent souvent les mêmes. Les considérations développées par Renan en 1872, dans la « Réforme intellectuelle et morale », après la chute d'un Empire autoritaire, étaient reprises telles quelles en 1940 après 70 ans d'une République libérale.

Aussi le Parlement est-il prêt d'avance à une grande docilité. Dans un moment de crise aussi aiguë, les assemblées sont obligées en fait de laisser les mains libres au gouvernement ; elles le feront d'autant plus volontiers qu'elles ne sont pas fâchées de s'abriter derrière le prestige du maréchal Pétain, et de lui laisser endosser la responsabilité de ce qui se passera dans une période qui ne peut manquer d'être douloureuse. Une autre Assemblée, de couleur politique opposée, en avait ainsi usé avec Thiers de 1871 à 1873. Mais dans un cas comme dans l'autre, en s'effaçant pour le présent, on entend réserver l'avenir. Le projet Taurines exprime assez fidèlement le sentiment moyen de l'Assemblée de 1940 :

« L'Assemblée Nationale décide :

« 1° L'application des lois constitutionnelles des 24, 25 février et 16 juillet 1875 est suspendue jusqu'à la conclusion de la paix ;

« 2° M. le Maréchal Pétain a tous pouvoirs pour prendre, par décrets ayant force de lois, les mesures nécessaires au maintien de l'ordre, à la vie et au relèvement du pays et à la libération du territoire ;

« 3° L'Assemblée Nationale confie à M. le Maréchal Pétain la mission de préparer, en collaboration avec les Commissions compétentes, les constitutions nouvelles qui seront soumises à l'acceptation de la nation dès que les circonstances permettront une libre consultation ».

Mais, comme en 1871-1873, les intentions de l'Assemblée seront déjouées par l'Exécutif. Non que le Maréchal Pétain ait eu sans doute des idées politiques et des objectifs bien précis ; ses facultés intellectuelles se ressentent de son grand âge, et il paraît le plus souvent de l'avis du dernier qui lui a parlé. Mais son entourage est composé dans une large mesure de technocrates autoritaires, peu démocrates, parfois même ouvertement favorables à l'Allemagne hitlérienne et à l'Italie fasciste. Surtout, il est alors dominé par la personnalité de Pierre Laval ; ce vieux politicien n'a sans doute pas non plus d'idées réformatrices (à moins qu'elles ne lui aient été soufflées par André Tardieu), mais il a des rancunes — contre la Chambre du Front Populaire qui a brisé sa carrière, contre l'Angleterre aussi — et des ambitions — et la collaboration franco-allemande dont il rêve n'est possible que si la nation et ses représentants sont définitivement muselés. En jouant de la menace des occupants tout proches, et aussi de son aptitude aux manœuvres de couloirs, Laval amènera bientôt les parlementaires à l'abdication totale, qui s'exprime dans le texte voté le 10 juillet :

« L'Assemblée Nationale donne tout pouvoir au gouvernement de la République, sous l'autorité et la signature du maréchal Pétain, à l'effet de promulguer, par un ou plusieurs Actes, une nouvelle Constitution de l'État français. Cette Constitution devra garantir les droits du Travail, de la Famille et de la Patrie. Elle sera ratifiée par la nation et appliquée par les Assemblées qu'elle aura créées. »

Si les formes prévues en 1875 étaient respectées, ce pouvoir en blanc donné à un homme ne correspondait en rien à l'esprit de la Constitution. Pas davantage on ne peut dire que des institutions périmées ont fait place à un nouveau régime, fruit d'une adaptation raisonnée à une situation transformée. Car le coup de force légal du 10 juillet 1940 débouche sur le néant : il autorisera bien quelques mesures de circonstance, mais la Constitution annoncée ne verra jamais le jour.

Conclusion

Ainsi prend brutalement fin la Troisième République. C'est pourtant le seul régime en France, depuis 1789, qui a pu assurer la stabilité politique pendant plusieurs générations, et arbitrer légalement et sans convulsions trop graves les conflits politiques, si fréquents dans notre pays et qui d'ailleurs ne sont inconnus nulle part. Régime de paix civile, il a vu également porter à son maximum le rayonnement et l'influence de la France dans le monde. Il a surmonté victorieusement, sans altération essentielle, l'une des plus dures épreuves qu'on puisse imaginer, celle de la première Guerre Mondiale.

Les faits démentent aussi des critiques pourtant traditionnelles. La Troisième République n'a pas été une période de stagnation économique et sociale : en témoignent les moments d'essor économique et de transformation sociale rapides qui se situent de 1900 à 1914, ou de 1920 à 1930. Sans doute les suites de la guerre, la dégradation des monnaies, la crise économique mondiale, ont sérieusement ébranlé la France ; mais les répercussions en ont-elles été moins profondes et moins graves dans les pays aux institutions les plus solides, comme l'Angleterre et les États-Unis ? Et ne parlons pas des bouleversements qui ont affecté l'Allemagne par exemple. Les remous même soulevés par le Front Populaire n'auraient pas manqué de s'apaiser ; ses erreurs économiques étaient en voie d'être corrigées, ses conquêtes sociales ont été peu à peu assimilées. La Troisième République n'est morte ni de ses fautes ni d'un déclin naturel, mais uniquement d'un désastre militaire.

Nous sommes donc ramenés à la recherche des causes de la défaite. Comme il est naturel, les militaires ont cherché à en rejeter la responsabilité sur les dirigeants civils, et les civils sur les militaires. Cela nous conduit à incriminer d'abord l'absence d'une coordination suffisamment étroite entre militaires et civils.

L'origine en remonte loin. Le personnel républicain a toujours été très soucieux d'interdire aux soldats de métier toute immixtion dans la vie politique ; mais en contrepartie il s'est volontiers cru obligé de se tenir à l'écart des affaires militaires. Cette tendance naturelle s'est trouvée sans doute aggravée, après 1919, par le courant d'idées pacifistes, et par la nouvelle diplomatie, qui, évitant les alliances d'ancien style et les traités secrets d'usage jusqu'en 1914, s'en est tenue aux pactes conclus sous l'égide de la Société des Nations. Ces pactes s'accommodaient mal en général d'accords militaires précis ou même de conversations d'états-majors approfondies ; ainsi les traités avec la Pologne, la Petite Entente, ou même la Belgique et l'Angleterre, se sont trouvés en quelque sorte en l'air, faute de complément militaire. Et l'on a vu, en mars 1936 à propos de la Rhénanie, comme en 1937 à propos de la Belgique, les inconvénients qu'il y avait à laisser la pensée militaire et la diplomatie se développer sur deux plans différents. Car en définitive, si l'armée a perdu la bataille, c'est la nation qui a été vaincue, et la République qui a succombé.

Les militaires, ainsi livrés à eux-mêmes, ont travaillé en milieu clos, et préparé une autre guerre que celle qu'ils ont été appelés à soutenir. Le reproche est banal, mais d'où vient l'erreur ?

La France a été saignée à blanc par la guerre de 1914-1918, et il est exclu, étant donné son état démographique, qu'elle puisse survivre à une autre épreuve du même ordre. Les militaires sont très conscients — plus peut-être que les civils — de ce drame des effectifs, et ils ont été très touchés par les reproches tant de fois adressés aux chefs de 1914 d'avoir gaspillé le sang. Ils se préoccuperont donc avant tout, après 1919, d'économiser les hommes. Comment ? D'abord en mettant l'accent sur le matériel. Mais l'infériorité de la France devant l'Allemagne — en définitive il ne s'agit que de cela — n'est-elle pas encore plus marquée en matière d'industrie qu'en matière de démographie ? Bien que les notions de potentiel économique soient alors moins familières qu'elles ne le sont devenues depuis, les chefs militaires n'ont pourtant pas ignoré cet aspect du problème. Mais ils ont mis leur espoir en grande partie dans les ressources britanniques et américaines (la question des paiements étant laissée de côté). Or ce secours, on le sait d'expérience, est lent à se manifester. L'armée française est donc condamnée, par son infériorité initiale et ses espérances à long terme, à une stratégie d'attente, à une tactique purement défensive au moins dans la première phase des opérations.

Cette conception, il faut oser le dire, était la meilleure, et peut-être la seule possible. Mais elle avait l'inconvénient de paralyser tout effort d'imagination. En particulier, nos chefs militaires, pour la plupart, n'ont pas pensé que le raisonnement même qui contraignait la France à attendre à l'abri de positions fortifiées, devait pousser l'Allemagne à rechercher à tout prix dans une guerre de mouvement une décision rapide. Aussi ont-ils gravement sous-estimé les possibilités que les armes nouvelles offraient à l'offensive, et ne se sont-ils pas du même coup préoccupés de trouver une parade efficace. L'arrêt de la Ligne Maginot à Longuyon, les différents plans d'intervention en Belgique, apportent la preuve d'une méconnaissance du danger qui sera fatale.

N'y eut-il pas alors de responsabilités civiles, et plus spécialement gouvernementales ? Là encore, il est vain et néfaste de les chercher où elles ne sont pas. Ni Poincaré ou Tardieu, ni Léon Blum — pour prendre les pôles opposés de la politique française — n'ont négligé de faire pour la défense nationale tout ce qu'ils pouvaient. Est-ce alors que, faute d'avoir les moyens de leur politique, les gouvernements français ne se sont pas souciés d'adapter leur politique à leurs moyens ? Cette critique aussi est classique, et mérite examen. En fait, la France ne pouvait avoir d'autre but que de maintenir l'Europe du Traité de Versailles, pour lequel elle avait consenti tant de sacrifices. Et pour cela — les politiques ici rejoignant les militaires — elle s'est toujours fiée à l'appui de l'Angleterre et des États-Unis. L'option faite par Clemenceau en 1919 n'a jamais été sérieusement remise en question par ses successeurs : c'est ainsi que Millerand n'a pas réagi au rejet du Traité par le Sénat américain, que Poincaré, pour ne pas rompre avec l'Angleterre, n'a pas essayé d'utiliser les possibilités qu'offrait la crise de la Ruhr. Briand, moins confiant et plus lucide que bien d'autres hommes d'État, s'est préoccupé avant tout de rétablir effectivement les liens avec le monde anglo-saxon que trop de ses collègues croyaient acquis. Plus tard, Blum ou Daladier suivirent si étroitement la politique britannique, qu'il serait nécessaire d'examiner celle-ci pour faire une étude complète des causes du désastre de 1940. Est-ce à dire — on l'a dit aussi — que la France, vis-à-vis de la Grande-Bretagne, se montra trop servile ? Mais une politique alternative n'était pas très facile à concevoir, ni surtout à mettre en pratique — les difficultés rencontrées par Barthou notamment ont bien illustré ce point.

Et puis, était-il possible, surtout à partir de 1933 et de l'offensive idéologique hitlérienne, de mener l'action diplomatique sans se soucier des idéaux de liberté humaine, principal lien des démocraties française, britannique et américaine ? Les hommes d'État français — sauf certaines exceptions — ne l'ont pas cru. Ils ont pensé et espéré que, même en l'absence d'engagements préalables précis et formels, le monde libre dans son ensemble finirait par se mobiliser contre la menace totalitaire.

Et c'est bien, d'ailleurs, ce qui s'est produit. Mais pour la France — comme Foch l'avait prévu — il était trop tard.

Orientation bibliographique

L'histoire de cette période ne peut que dans une très faible mesure reposer sur l'étude des archives. Non seulement en effet elle tombe à peu près entièrement dans le domaine d'application de la règle des cinquante ans, mais une bonne partie des archives récentes ont été détruites ou perdues au cours des événements de 1940. A ce propos, on se reportera à la communication de P. Renouvin : *La publication des documents diplomatiques français* (1932-1939) (Société d'histoire moderne, séance du 3 décembre 1961).

Par contre, les débats politiques et judiciaires provoqués par le désastre de 1940 ont occasionné la mise à jour d'une importante documentation concernant notamment la fin de la période. Il s'agit tout d'abord du « Procès de Riom »; voir pour le cas Daladier M. Ribet, *Le procès de Riom* (1945), et pour le cas de L. Blum, *A l'échelle humaine* (1945). Puis, dans une inspiration opposée, des débats de la Haute Cour de Justice dont les sténographies sont en partie inédites (voir à ce propos Louis Noguères, *La Haute Cour de la Libération, 1944-1949*, Paris, 1965). Enfin et surtout des travaux de la Commission d'enquête parlementaire, publiés sous le titre : *Les événements survenus en France de 1933 à 1945* (9 vol. de « Témoignages et Documents », 4 vol. de Rapports). Les archives privées peuvent également fournir dans certains cas des indications précieuses. Nous tenons à remercier ici M. Jacques Millerand de nous avoir permis d'accéder aux papiers de son père.

En ce qui concerne les études, il faut signaler d'abord, sans pouvoir en énumérer le détail, les communications à la Société d'Histoire Moderne, les articles de la « Revue d'Histoire Moderne » et surtout les collections complètes de la « Revue d'Histoire de la Guerre » et de la « Revue d'Histoire de la Deuxième Guerre Mondiale ».

Une bibliographie détaillée a été récemment établie par R. Remond (Bulletin de la Société des professeurs d'histoire et géographie, n° 188, octobre 1964). Il y aura intérêt à la consulter, et nous nous associons entièrement à sa remarque sur l'absence de travaux scientifiques de base pour beaucoup des questions de cette période.

Ouvrages d'ensemble

On peut replacer l'histoire de France dans l'histoire du monde grâce à : P. Renouvin, *La crise européenne et la première guerre mondiale* (4e éd. 1962) ; M. Baumont, *La Faillite de la Paix (1918-1939)*, t. I : de Rethondes à Stresa, 1918-1935 ; t. II : De l'affaire éthiopienne à la guerre, 1936-1939 (éd. de 1961) (coll. Peuples et Civilisations).

L'ouvrage de base est J. Chastenet, *Histoire de la IIIe République :* t. IV, Jours inquiets, jours sanglants, 1906-1918 (1957) ; t. V, Les années d'illusions, 1918-1931 (1960) ; t. VI, Déclin de la Troisième, 1931-1938 (1962) ; t. VII, Le drame final, 1938-1940 (1963). On trouvera un ample résumé des travaux parlementaires dans G. et E. Bonnefous, *Histoire politique de la Troisième République* (maintenant complète).

L'œuvre de F. Goguel, *La politique des partis sous la IIIe République* (t. I, 1871-1932 ; t. II, 1932-1939) est conçue en fonction d'une théorie explicative très systématique ; voir aussi Cl. Fohlen, *La France de l'entre deux guerres, 1917-1939* (Paris, 1966).

Il est généralement indispensable de consulter les Mémoires et biographies des principaux personnages politiques. A. Briand n'a pas laissé de Mémoires, et ceux de Poincaré ne dépassent pas la période de la Grande Guerre ; mais on peut consulter, sur Briand, G. Suarez, *Briand, sa vie, son œuvre, avec son journal et de nombreux documents inédits* (les quatre derniers volumes t. III et IV, « Le pilote dans la tourmente, 1914-1916 et 1916-1918 », t. V et VI, « L'artisan de la paix, 1918-1923 et 1923-1932 » (1952) ; sur Poincaré, les livres de J. CHASTENET (1948) et P. MIQUEL (1961), ce dernier avec une copieuse bibliographie. E. HERRIOT, *Jadis* (t. II, 1914-1936), à compléter par la grande étude de M. SOULIÉ, *La vie politique d'Édouard Herriot* (1962) (importante bibliographie), PAUL REYNAUD, *Mémoires*, t. I, (jusqu'à 1936) ; t. II, (1936-1940). J. PAUL-BONCOUR, *Entre deux guerres*, surtout t. II, « Les lendemains de la victoire 1919-1934 » (1945) ; t. III, « Sur les chemins de la défaite » (1935-1940) (1947). A. MALLET, *Pierre Laval* (1955).

R. BINION, *Defeated leaders* (Caillaux, Tardieu, de Jouvenel), est précieux notamment parce que les « Mémoires » de Caillaux ne contiennent à peu près rien pour l'après-guerre, et que nous sommes également très mal armés en ce qui concerne Tardieu. P. LAFUE, *Gaston Doumergue* (1933) ; Y. LAPAQUELLERIE, *Édouard Daladier* (1939).

Principales périodes

En ce qui concerne la Grande Guerre, il faut toujours se reporter à la bibliographie de base établie par R. RENOUVIN, *op. cit.* Mais l'afflux des nouveaux ouvrages est incessant. Bornons-nous à signaler les études militaires du Gl KOELTZ, du Gl VALLUY, enfin du Gl GAMBIEZ et du Cl SUIRE (en cours de parution); celle de RATINAUD, *La course à la mer ;* G. PEDRONCINI, *Les mutineries de 1917*, modèle d'érudition critique ; R. G. NOBECOURT, *1918* ; et surtout P. RENOUVIN, *L'armistice de Rethondes.*

Pour les problèmes français de la paix, le livre essentiel est A. TARDIEU, *La paix* (1920). Voir aussi MERMEIX, *Le combat des Trois* (1922). A. FABRE-LUCE, *La victoire* (1924), est discutable mais très suggestif, comme les autres ouvrages du même auteur que nous aurons l'occasion de citer. Le problème est éclairé par la polémique ultérieure ouverte par R. RECOULY, *Le Mémorial de Foch* (1929) auquel répond G. CLEMENCEAU, *Grandeurs et Misères d'une victoire* (1930) ; des précisions sur la composition de ce livre sont fournies par J. MARTET, *Le Tigre* (1930) ; G. WORMSER, *La République de Clemenceau* (1961). Voir aussi, sur des points particuliers, DORTEN, *La tragédie rhénane* (1945) ; JACQUES SEYDOUX, *De Versailles au Plan Young* (1932) ; A. ANTONUCCI, *Le bilan des réparations* (1935) ; E. WEILL-RAYNAL, *Les réparations allemandes et la France* (1945) ; G. LACHAPELLE, *Les finances publiques après la guerre, 1919-1924* (1924).

Pour la période du Cartel et de la crise du franc, on peut consulter

A. THIBAUDET, *La République des professeurs* (1927) ; G. SUAREZ, *De Poincaré à Poincaré* (1928) ; A. FABRE-LUCE, *Caillaux* (1933) ; R. PHILIPPE, *Le drame financier de 1924-1928* (1931) ; E. MOREAU, *Souvenirs d'un Gouverneur de la Banque de France* (1954), important. A. FABRE-LUCE, *Locarno sans illusions* (1926) ; A. TARDIEU, *L'épreuve du pouvoir* (1931).

Nous sommes particulièrement démunis sur la période 1932-1936. Signalons G. SUAREZ, *Les heures héroïques du Cartel* (1934) ; L. BONNEVAY, *Les journées sanglantes de Février 1934* (1935) (résumé des travaux de la Commission parlementaire d'enquête sur le Six Février, dont Bonnevay était le président) ; J. FABRY, *De la Place de la Concorde au Cours de l'Intendance* (1941).

Pour le Front Populaire, l'ouvrage de G. LEFRANC, *Histoire du Front Populaire* (1965), avec bibliographie, est fondamental, et dispense de la plupart des publications antérieures. On peut cependant l'illustrer avec L. BODIN et J. TOUCHARD, *Front Populaire, 1936* (1961, coll. « Kiosque »).

Sur les dernières années de la Troisième République, les livres redeviennent abondants. Citons H. NOGUÈRES, *Munich, ou la drôle de paix* (1963, coll. « Ce jour-là ») très supérieur à l'ouvrage suivant de la même collection ; A. BALL, *Le dernier jour du vieux monde, 3 septembre 1939;* G. VALLETTE et J. BOUILLON, *Munich* (1964, coll. « Kiosque ») ; A. DE MONZIE, *Ci-devant* (1941) ; PERTINAX (André GERAUD), *Les fossoyeurs ;* t. I, « Daladier, Gamelin, Reynaud », t. II, « Pétain » (New York, s. d.), partial, mais souvent pénétrant et bien informé; général STEHLIN, *Témoignage pour l'Histoire* (1965) ; L. BLUM, *A l'échelle humaine* (1945).

Pour la campagne de 1940 et la fin de la République, voir aussi CL. DE BARDIES, *La campagne 1939-1940* (1947) ; A. GOUTARD, *1940 : la guerre des occasions perdues* (1956) ; Général BAUFRE, *Le drame de 1940* (1965) ; M. BLOCH, *L'étrange défaite* (nouvelle éd. 1957), pénétrant ; J. VIDALENC, *L'exode de mai-juin 1940* (1957), avec une ample bibliographie des témoignages historiques ou littéraires sur la période ; CLAUDE GOUNELLE, *Sedan, Mai 1940* (1965) ; PIERRE PORTHAULT, *L'armée du sacrifice* (1965) ; P. BAUDOIN, *Neuf mois au gouvernement* (1948) ; A. KAMMERER, *La vérité sur l'armistice* (1944). Sur les aspects proprement militaires, consulter la « Revue de Défense Nationale ».

Problèmes de politique intérieure

Il est toujours fructueux de consulter à ce sujet la « Revue Française de Science Politique ».

Pour la vie gouvernementale, A. SOULIER, *L'instabilité ministérielle sous la IIIe République, 1871-1938* (1939), et J. OLLE-LAPRUNE, *La stabilité des ministres sous la IIIe République, 1879-1951* (1962).

Pour une représentation cartographique des résultats électoraux, F. Goguel, *Géographie des élections française de 1870 à 1951* (1951).

Sur les différents partis ou tendances politiques, J. Fauvet, *Histoire du parti communiste*, t. I, « De la guerre à la guerre, 1917-1939 » (1964) ; D. Ligou, *Histoire du socialisme en France, 1861-1961* (1962), avec une copieuse bibliographie ; G. Lefranc, *Le mouvement socialiste sous la Troisième République, 1875-1940* (1963). Pour le Centre, y compris les radicaux, il n'y a rien d'équivalent, excepté, concernant une fraction alors peu importante : R. Laurent, *Le Parti démocrate populaire, 1924-1944* (1965). Pour la Droite, peu de chose, à part la brillante esquisse de R. Remond, *La Droite en France. De la première Restauration à la cinquième République* (1963). Mentionnons pourtant J. Plumyene et R. Lasierra, *Les fascismes français, 1923-1963* (1963), et surtout, le remarquable ouvrage de E. Weber, *L'Action Française* (trad. française, 1963).

Problèmes de politique extérieure

Les ouvrages fondamentaux sont, dans l'*Histoire des relations internationales* de P. Renouvin, « Les Crises du XXe siècle ; t. VII, 1914-1929 ; t. VIII, 1929-1945 » (1957-1958), et J. B. Duroselle, *Histoire diplomatique de 1919 à nos jours* (1962). On ne peut négliger les livres de certains acteurs notables du drame : A. François-Poncet, *De Versailles à Postdam* (1948) ; G. Bonnet, *Le Quai d'Orsay sous trois Républiques* (1961).

Problèmes militaires

Les problèmes fondamentaux sont nettement posés, sinon résolus, par R. W. Challener, *The French theory of the Nation in Arms, 1866-1939* (New York, 1955). Voir aussi général Requin, *D'une guerre à l'autre* (1949). M. Weygand, *Souvenirs;* t. I, « Mirages et Réalités » (1937); t. II, « Rappelé au service » (1950); Général Laure, *Pétain* (1941); Général Gamelin, *Servir* (3 vol. 1946-1947) ; Général Stehlin, *Témoignage pour l'Histoire* (1965) ; J. Nobecourt, *Histoire politique de l'armée française, 1919-1942* (1966).

Problèmes coloniaux

Sur cette période, les ouvrages historiques font à peu près complètement défaut. La grande étude de S. H. Roberts, *The history of French colonial policy, 1870-1925* (Hamden, Conn. 1963), s'arrête trop tôt. Les livres de G. Hardy eux aussi se réfèrent surtout à la période précédente. On peut trouver quelques indications administratives dans H. Blet, *Histoire de la colonisation française*, t. III, « France d'Outre-Mer », et des notations économiques dans G. Pelletier et L. Roubaud, *Images et réalités coloniales* (1931).

Nous sommes relativement mieux outillés pour l'Afrique du Nord. Des points de vue divergents sont présentés par C. A. JULIEN, *L'Afrique du Nord en marche* (1952) ; R. LETOURNEAU, *Évolution politique de l'Afrique du Nord musulmane, 1920-1961* (1962) ; J. BERQUE, *Le Maghreb entre les deux guerres* (1962); CL. MARTIN, *Histoire de l'Algérie française* (1963).

Pour les mandats du Levant, S. H. LONGRIGG, *Syria and Lebanon under french mandate* (London 1958).

Pour l'Afrique Noire, le livre de R. DELAVIGNETTE, *Service africain* (1946), n'est pas un historique, mais pose bien les problèmes.

Pour Madagascar, H. DESCHAMPS, *Histoire de Madagascar* (1960).

Pour l'Indochine, la lacune paraît jusqu'à présent totale.

Problèmes économiques et sociaux

L'ouvrage de base est celui d'A. SAUVY, *Histoire économique de la France entre les deux guerres* (en 3 volumes dont 2 sont déjà parus). Pour comprendre la dépendance de l'économie française à l'égard des phénomènes internationaux, voir J. NÉRÉ, *La crise de 1929* (Coll. U2, 1968).

Pour le mouvement ouvrier, l'historique de JEAN MONTREUIL (G. LEFRANC), *Histoire du mouvement ouvrier* (1947) doit être complété et précisé par R. GŒTZ-GIREY, *La pensée syndicale française, militants et théoriciens* (1948). Voir aussi H. W. EHRMANN, *French labor from Popular Front to Liberation* (New York 1947). L'étude parallèle du même H. W. EHRMANN, *La politique du patronat français, 1936-1955* (trad. française, 1959) est beaucoup plus discutable. Sur les tentatives d'organisation paysannes, G. WRIGHT, *Rural Revolution in France. The peasantry in the Twentieth Century* (Stanford 1964).

Problèmes religieux

Sur le catholicisme, A. DANSETTE, *Histoire religieuse de la France contemporaine*, t. II, « Sous la IIIe République » (1952) ; A. LATREILLE et R. REMOND, *Histoire du catholicisme en France*, t. III, « La période contemporaine » (1962). Sur l'évolution politique de l'Église catholique à cette époque, R. REMOND, *Les catholiques, le communisme et les crises, 1929-1939* (coll. « Kiosque », 1960).

Sur le protestantisme, R. STEPHAN, *Histoire du protestantisme français* (1961).

Table des matières

Imprimé en France à l'Imp. WILLAUME-EGRET à St-Germain-lès-Corbeil en Mai 1972. — O. P. I. A. C. L. 31.1152.
Dépôt légal effectué dans le 2e trimestre 1972.
N° d'ordre dans les travaux de la LIBRAIRIE ARMAND COLIN : 6014.
N° d'ordre dans les travaux de l'Imprimerie WILLAUME-EGRET : 2488.